QUE SAIS-JE ?

La bande dessinée

ANNIE BARON-CARVAIS

Maître de conférences à l'Université de Lille II

Quatrième édition mise à jour

26ᵉ mille

*A la mémoire de Bob Brown, dessinateur américain
et d'Alberto Breccia, artiste argentin*

« Lorsque l'étude de la bande dessinée aura dépassé le stade ésotérique et que le public cultivé sera disposé à y prêter la même attention soutenue qu'il apporte aujourd'hui à la sonate, à l'opérette ou la ballade, on pourra — à travers une étude systématique de sa signification — dégager son importance pour l'élaboration de notre environnement quotidien et de nos activités culturelles. »

Umberto Eco, 1972.

« La seule chose que je regrette dans ma vie, c'est de ne pas avoir fait de bande dessinée. »

Picasso.

« Viens... dans comic strip
Viens faire des bulles... »

Serge Gainsbourg, 1968.

ISBN 2 13 043762 1

Dépôt légal — 1re édition : 1985
4e édition mise à jour : 1994, février
© Presses Universitaires de France, 1985
108, boulevard Saint-Germain, 75006 Paris

Introduction

DE L'IMAGE
A LA BANDE DESSINÉE

Les bandes dessinées, ces magazines qu'on n'osait lire ouvertement sous peine de passer pour un illettré, sont maintenant l'objet d'attentions particulières et certaines d'entre elles, bénéficiant d'une présentation « luxueuse », trouvent une place d'honneur sur les rayons des bibliothèques. Il semble significatif d'étudier l'introduction du terme ainsi que l'évolution de sa définition et de celle des principaux mots qui s'y rapportent (phylactère, bulle, ballon, *comics*), dans le *Petit Larousse illustré*.

I. — Evolution de l'expression

En 1959, seul « phylactère » apparaît : « Banderole à inscription, que l'on rencontre sur les monuments du Moyen Age et de la Renaissance. » La refonte de 1968 reconnaît l'existence de la BD avec une brève et imprécise définition — « histoire racontée en dessins » — et le phylactère devient une « banderole utilisée par les artistes du Moyen Age pour y inscrire les paroles prononcées par les personnages de la scène représentée dans le tableau, le vitrail, etc. ». En transformant légèrement cette phrase on obtient une idée exacte de ce que signifie une bulle dans une bande dessinée : espace encerclé utilisé par les artistes du xxᵉ siècle pour y inscrire les paroles prononcées par les personnages de la scène représentée dans l'image. De 1968 à 1970 aucun changement ; puis en 1971 le phylactère se voit doté d'un sens nouveau : « dans une bande dessinée, synonyme de bulle », et ce mot « bulle » prend ainsi une signification jusqu'alors officieuse : « dans une bande dessinée, élément graphique qui sort de la bouche d'un personnage et qui indique ses paroles. »[1] On trouve également (mais rarement !) le terme « ballon » : synonyme vieilli de « bulle ».

Psautier triple de Cantorbéry, début XIIIᵉ siècle
Bibl. Nat. Paris (Ms latin 8846 fᵒ 3 vᵒ). Cliché BN

Ce n'est qu'en 1981 que la bande dessinée s'impose réellement dans le *Petit Larousse illustré* avec l'entrée du terme anglais *comics* — « journal de bandes dessinées » — déjà couramment utilisé par les amateurs de ce genre de magazines américains, et avec une explication plus fouillée concernant la bande dessinée elle-même : « BD, séquence d'images accompagnées d'un texte relatant une action dont le déroulement temporel s'effectue par bonds successifs d'une image à une autre sans que s'interrompent ni la continuité du récit ni la présence des personnages. (Enclose dans un espace cerné par un trait, l'image enferme elle-même le texte qui aide à sa compréhension.) » Le sigle BD, si fréquemment employé en remplacement du mot, connaît enfin une acceptation officielle. En outre ce dictionnaire offre à ses lecteurs quatre

1. Le mot « phylactère » vient du grec *phulattein* (protéger), il signifie à l'origine : « petit étui renfermant un morceau de parchemin où sont inscrits des versets de la Torah et que les Juifs pratiquants portent sur eux » (*Dictionnaire encyclopédique Larousse* en 1 vol., 1979).

reproductions : *Little Nemo in Slumberland, Tarzan*, Tintin dans *Le secret de la Licorne*, Lucky Luke dans *Ma Dalton*. (Ainsi, seules les écoles américaine et belge sont à l'honneur car si le scénariste de Lucky Luke est français, le dessinateur et créateur est belge !) Dix ans plus tard, la définition s'est affinée et modernisée, la BD est une « histoire racontée par une série de dessins et où les paroles, les bruits sont généralement inscrits dans des bulles », et *Snoopy* remplace *Tintin* dans les illustrations ; glissé au milieu de celles-ci, un texte mentionne que « ... la BD traduit aujourd'hui les préoccupations intellectuelles des adultes (Bretécher...), leurs fantasmes ou leurs passions (Forest...) à travers des thèmes souvent proches de la science-fiction et des procédés graphiques qui s'inspirent du cinéma et de la peinture moderne (Druillet...) ».

Selon les dictionnaires et les encyclopédies, la bande dessinée trouve sa place ou brille par son absence (le *Dictionnaire du français contemporain* l'a ignorée jusqu'en 1980). Seul l'article de Francis Lacassin dans la *Grande Encyclopédie* (20 vol.) remarque une différence entre LA bande dessinée et LES bandes dessinées (« au singulier, le terme désigne le moyen d'expression et, au pluriel, la création objective »).

Les amateurs parlent de la BD et des BD. Pour expliquer ce que l'une et l'autre représentent, on peut adopter l'explication de Lacassin ou tenter de trouver sa propre interprétation ; ainsi on peut considérer la première comme le Concept (ou bien l'Art et la Technique) et les secondes comme le Produit, mais il est certainement possible de suggérer d'autres perspectives. Outre les définitions proposées par les sources traditionnelles (dictionnaires et encyclopédies), on rencontre celles des spécialistes : Burne Hogarth, codirecteur de la School of Visual Arts à New York, écrit en 1967 *(Bande dessinée et Figuration narrative)* : « ... Certains diront qu'il ne s'agit pas purement d'un art puisqu'il dépend en partie de son contenu verbal, et pourrait bien être ainsi une sorte de littérature. Mais est-ce vraiment une littérature alors qu'il renonce souvent à toute expression verbale, utilisant seulement le geste, l'expression, le mouvement ? (...). Elle est contradiction et paradoxe, chose qui ne finit pas et change de définition, patrie du conformisme et rebelle. »

Dans *La Bande dessinée peut être éducative* (Paris, L'Ecole, 1970), Antoine Roux énonce les six critères, selon lui, de la BD :

1) « la bande dessinée est d'abord chose imprimée et diffusée » ;
2) « c'est un récit à fin essentiellement distractive » (ceci n'est plus tout à fait vrai comme nous le verrons plus loin) ;
3) « c'est un enchaînement d'images » ;
4) « c'est un récit rythmé » (ce n'est pas obligatoire) ;
5) « la bande dessinée inclut un texte dans ses images » (ce n'est pas toujours le cas) ;
6) « la BD à bulles est historiquement un phénomène américain destiné en priorité aux adultes ».

Après « narration figurée » de Roux, on découvre « expression icono-linguistique » chez P. Ferran (*Place et rôle de la science-fiction dans l'enseignement de la littérature au premier cycle*, thèse d'Etat, Sorbonne, 1981). P. Fresnault-Deruelle considère que « c'est la mise en forme, au moyen d'un ensemble de relations images/textes caractérisées par l'utilisation originale de ballons, d'une histoire dont on a retenu les éléments les plus spectaculaires » (*Dessins et bulles*, Bordas, 1972). Le « père » de la bande dessinée, le Suisse Rodolphe Töpffer, l'avait qualifiée de « littérature en estampes ».

Si nous essayons de proposer une définition il nous faut rechercher à notre tour les composantes d'une BD en tenant compte de son évolution ; elle n'appartient à aucun genre déterminé puisqu'elle fait appel à deux catégories d' « artistes », le dessinateur et l'écrivain, elle relève en même temps de l'art graphique et de la littérature. Le texte n'est pas toujours nécessaire à la compréhension de l'histoire : un récit mis en images sur une seule planche (chaque feuille dessinée) peut très bien se passer de commentaire ou de bulle. Il s'agit d'une succession de dessins juxtaposés destinés à traduire un récit, une pensée, un message ; le but n'est plus uniquement de divertir le lecteur mais parfois de transmettre au moyen de l'expression graphique ce que l'abstraction de l'écriture ne parvient pas toujours à exprimer.

II. — La civilisation de l'image

De tout temps les hommes ont utilisé l'image comme empreinte de leur passage, en témoignent les peintures rupestres d'Altamira, les parois des grottes de Lascaux ou les bas-reliefs égyptiens sans oublier les *biblia pauperum* du Moyen Age. Il ne faut pas non plus ignorer qu'« il existe dans la bibliothèque du Vatican un manuscrit, considéré comme l'une des œuvres les plus marquantes de l'art byzantin, *Le Rouleau de Josué*. Josué, successeur de Moïse, conduisit les Hébreux jusqu'en Terre promise...

Kurtz Weitzmann, *The Joshua Roll*
Princeton University Press, 1948

Cette épopée est ainsi retracée sur ce manuscrit à l'aide de nombreuses illustrations et de textes (...) placés sous l'image et souvent à la hauteur du visage des personnages afin d'exprimer leurs paroles »[1] (manuscrit d'entre le ve et le xe siècles après J.-C.).

1. B. Galimard Flavigny, La véritable origine de la bande dessinée, *Petites Affiches*, n° 76, 26 juin 1981, p. 19.

Les véritables bandes dessinées ont pris leur essor, en même temps que la presse quotidienne, aux Etats-Unis où des sondages effectués avant 1950 ont indiqué que 60 % des lecteurs de journaux lisaient en premier la page des BD. L'accueil réservé aux *comic books* fut différent : considérés comme les recueils des aventures parues dans les éditions quotidiennes et dominicales, ils furent très vite regardés avec suspicion par les parents, les éducateurs et les psychiatres. On les a taxés de banalité, vulgarité et corruption.

Pourtant les BD trouvent leurs sources dans les thèmes populaires tout en ayant leur propre influence sur la langue et la culture du pays concerné. Th. Inge[1] raconte comment Picasso, qui recevait des albums américains par l'intermédiaire de son amie Gertrude Stein, s'inspira de leur contenu dans nombre de ses œuvres dont *Le Rêve et le Mensonge de Franco* (1937). Il note également que

Pablo Picasso, *Le rêve et le mensonge de Franco*, I
8 janv. 1937 (MOMA, New York)

Krazy Kat d'Herriman, ayant circulé en France, fut reconnu comme un des premiers exemples du dadaïsme. A leurs valeur sociale et signification culturelle, il faut ajouter l'importance que les BD ont en elles-mêmes, en tant qu'expression créative. C'est le retour d'une civilisation de l'écrit vers une civilisation de l'image...

Certains considèrent à tort qu'elles servent d'exutoire à ceux qui n'aiment pas lire de « vrais » livres. Cette assertion est fausse dans bien des cas ; tout comme les adultes

1. The Comics as Culture, *Journal of Popular Culture*, Spring 1979, p. 634.

apprécient souvent un livre après en avoir vu sa version filmée, les enfants peuvent ressentir l'envie de connaître la version originale de l'adaptation imagée qu'ils ont regardée avec plaisir. Même le cinéma, à travers les metteurs en scène Federico Fellini, Orson Welles, Alain Resnais, George Lucas..., reconnaît sa dette envers la bande dessinée en ce qui concerne les concepts et les techniques cinématographiques : montage, vue d'angle, gros plan, cadrage, etc. William Friedkin avoue avoir été fortement influencé par *The Spirit* de Will Eisner. C'est en voyant une couverture d'Eisner où figurait son héros pourchassé par des bandits sous le métro aérien qu'il imagina la chasse à l'homme de *The French Connection*.

On recherche dans un bien lointain passé les origines de la bande dessinée : W. Fuchs et R. Reitberger[1] racontent qu'en 1942 l'American Institute of Graphic Arts organisa une exposition *(La Bande Dessinée, son histoire et sa signification)* débutant avec les dessins trouvés sur les parois des grottes, les hiéroglyphes égyptiens, les livres d'Hokusai, les tablettes votives et la tapisserie de Bayeux. Mais ces représentations, témoins de leur temps, se différencient de la BD par deux grandes caractéristiques : cette dernière est diffusée à des milliers (et même millions) d'exemplaires contrairement aux œuvres précitées qui n'existent qu'en un seul modèle et dans un espace déterminé, elle est multipliée et n'est pas à consulter dans un lieu particulier, c'est elle qui est mise à la disposition de chacun. Cela est dû à la possibilité de reproduire à l'infini des œuvres qui, dans le passé, n'auraient pu connaître une telle notoriété. Les bandes dessinées se présentent habituellement sous trois formes : l'album comprenant une ou plusieurs histoires complètes, l'illustré réunissant divers récits (complets ou non) et la revue regroupant non seulement des épisodes de bandes dessinées mais également des articles concernant le monde de la BD et sa famille plus ou moins éloignée : les dessins animés et le cinéma. Les fanzines (cf. chap. IV) sont des revues écrites, dessinées et

1. *Comics : Anatomy of a Mass Medium*, Boston, 1971.

éditées par des non-professionnels et dont la composition est voisine de celle des revues.

A propos des illustrés, ils font leur apparition dans le *Petit Larousse* avant la bande dessinée. Jusqu'en mars 1948, « illustré » n'est qu'un adjectif. Puis on ajoute une précision : « substantivement : un illustré ». En avril 1959, ce dictionnaire propose un deuxième sens à ce mot : « n.m. journal, revue contenant des récits accompagnés de dessins ». En 1968, la définition reste identique mais la présentation change, le nom « illustré » a sa propre entrée.

Pour connaître la BD il faut voir l'histoire de son extension à travers le monde, la façon dont elle est conçue et réalisée, ses fonctions et l'accueil que lui a réservé la société (lecteurs, censure et médias).

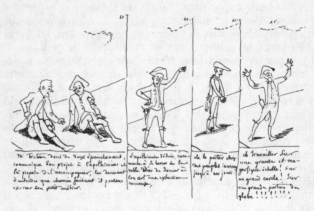

R. Töpffer, *Mr Tric-Trac* © Favre

Chapitre I

PETITE HISTOIRE
DES BANDES DESSINÉES

Les Précurseurs

« Les dessins, sans le texte, n'auraient qu'une signification obscure; le texte, sans les dessins, ne signifierait rien. Le tout ensemble forme une sorte de roman d'autant plus original qu'il ne ressemble pas mieux à un roman qu'à autre chose. »[1] Ainsi s'exprime Rodolphe Töpffer à propos des petits fascicules qu'il réalise dès 1825. Devenu instituteur, il illustre des récits qu'il écrit pour ses élèves. Ses *Voyages en zig-zag*, nouvelles illustrées (1825-1841), ne seront publiés qu'à partir de 1832 et rassemblés dans un recueil qu'en 1843, ct *M. Vieux-Bois*, sa première histoire en estampes de 1827, ne sera édité qu'en 1837. Le succès est immédiat et les contrefaçons apparaissent dès 1839.

En Allemagne Wilhelm Busch met en images en 1860 l'histoire d'une souris qui perturbe le repos des braves gens; mais ce sont les aventures de deux garnements, *Max und Moritz*, qui laisseront son nom à la postérité (ils seront les trophées des festivals allemands d'Erlangen et de Hambourg). En France Christophe (Georges Colomb) publie dès 1889 des histoires en images (HI) qui s'étalent sur plusieurs années : *La Famille Fenouillard, Le Sapeur Camember, Le Savant Cosinus...*

Malgré ce début prometteur en Europe, c'est aux Etats-Unis que la bande dessinée se développe rapidement. Elle

---

1. *L'Encyclopédie des bandes dessinées*, cf. bibliographie.

se présente d'abord sous la forme de *comic strips*, récits d'environ une demi-page paraissant de façon quotidienne ou hebdomadaire dans les journaux, puis sous celle de *comic books*, fascicules consacrés aux héros de BD.

Puis les tiennent enfermés
Dans des cornets de papier.

W. Busch
Max und Moritz, 1870
© L'Ecole des loisirs

M. et madame Fenouillard ayant besoin de changer de vêtements, regagnent leur logis. Madame Fenouillard se répandrait bien en plaintes amères ; mais ayant la bouche pleine de fromage, elle se contente de garder un calme digne et solennel. Ces demoiselles gémissent avec une touchante unanimité.

Christophe
La famille Fenouillard, 1889
© Armand Colin

I. — Les Etats-Unis, terrain de prédilection pour les bandes dessinées

De la dernière décennie du XIXe siècle à nos jours, l'évolution de la BD américaine va connaître six grandes périodes influencées par le style de vie, les aspirations et les actualités de l'époque.

1. **1892-1930 : les « funnies ».** — En 1892, Swinnerton crée *Little Bears and Tigers* pour le *San Francisco Examiner*. En 1894, Richard Outcault imagine un dessin humoristique composé de six images en couleurs *L'origine d'une nouvelle espèce, ou l'évolution du crocodile expliquée*. Celui-ci paraît dans le *New York World* (18 nov. 1894) de Pulitzer. La rivalité légendaire de Pulitzer et Hearst (propriétaire du *New York Journal*) servira de catalyseur à cette nouvelle forme artistique.

Le 16 février 1896, le personnage d'Outcault, héros de la série *Hogan's Alley*, devient avec succès le *Yellow Kid*. L'utilisation du texte et du dialogue dans l'image commence. En 1896, Outcault quitte Pulitzer pour Hearst en emportant avec lui son *Yellow Kid* (dont les nouvelles aventures vont prendre le nom); le peintre George Luks continue l'ancienne bande dessinée. Son passage « à l'ennemi » entraîne une âpre bataille au sujet des droits de publication qui donnera naissance au terme de *yellow journalism*. Le 12 décembre 1897, le *New York Journal* imprime, sous la plume de Rudolph Dirks, les aventures des *Katzenjammer Kids* (*Pim-Pam-Poum* en France) librement inspirées de *Max und Moritz* de Busch. Au début il n'y a pas de dialogue, mais très vite ils apparaissent dans des bulles. Quand Dirks quitte le *New York Journal* à la suite d'une brouille avec Hearst, il n'est pas autorisé à prendre le titre (les personnages sont confiés à Harold Knerr), mais il obtient le droit de reproduction et donne donc le jour, dans la presse Pulitzer, à *Hans and Fritz* qui deviendront *The Captain and the Kids* lors de la Première Guerre mondiale. En 1902, Outcault revient au *New York Herald World* avec un autre gamin farceur, *Buster Brown* (la série reprise par un autre perd de son intérêt et disparaît en 1926).

Le rêve s'ajoute aux facéties en 1905 avec *Little Nemo in Slumberland* de Winsor McCay (jusqu'en 1927 avec une interruption de 1911 à 1924; en 1989 l'intégrale paraît chez Zenda). En 1907 les *Sunday Comics* (BD de l'édition dominicale) sont définitivement établis. La poésie pré-surréaliste apparaît en 1911 avec *Krazy Kat*; au décès de George Herriman en 1944, son héroïne s'éteint avec lui. Ce sont les quotidiens de l'époque qui servent de support à la BD (même le sérieux *New York Herald Tribune* en publie à l'époque 30 par jour), d'où la diversité d'appartenances sociales de ses lecteurs : on raconte qu'en 1918 le Président Wilson lut *Krazy Kat* aux membres de son cabinet (en 1990 Nancy Reagan révélera que le Président commençait toujours sa revue de presse par la page des BD). En 1912 G. McManus recrée la vie quotidienne d'une famille de nouveaux riches : *Bringing Up*

Father. Le marché de la BD s'organise : Hearst fonde le premier « syndicate » chargé de la commercialiser, qui deviendra le KFS, King Features Syndicate, en 1914. Cet organisme place et revend les BD dans le monde entier (de nombreux syndicats suivront : The Chicago Tribune Daily News Syndicate, The United Features Syndicate...). En 1919 *Gasoline Alley* apparaît sous la plume de Frank King quand s'installent les premières chaînes de montage d'automobiles aux Etats-Unis ; cette série présente une particularité : les personnages y vieillissent. Une jeune fille de bonne famille, Winnie Winkle, affublée de Perry (*Bicot* en France), son petit frère bagarreur et sportif, sort de l'imagination de Martin Branner en 1920.

En 1923 un autre chat promène sa mélancolie dans les pages dessinées : *Felix the Cat* d'Otto Messmer. Harold Gray débute en 1924 une série « à la gloire du capitalisme qui vient en aide aux pauvres gens », Little Orphan Annie.

1929, avant la crise économique, nous offre de grands « crus » : — *Popeye le marin* d'Elzie Crisler Segar dans le *New York Evening Standard* ; — *Tarzan* (1er épisode d'Harold Foster le 7 janvier 1929, le 2e de Rex Mason le 17 juin 1929, puis le personnage est laissé à Burne Hogarth en 1937) ; c'est également le 7 janvier 1929 que, créé par Dick Calkins sur un scénario de John Dille, *Buck Rogers* s'installe comme le premier héros de science-fiction.

En 1930 *Mickey Mouse* sort des dessins animés où il déambule depuis 1928 pour entrer dans la BD, incarnant « l'Américain moyen qui, grâce à son bon cœur, sait toujours se tirer d'un mauvais pas avec le sourire ». La ménagère n'est pas oubliée et, dans le *New York American Journal* du 15 septembre 1930, Murat « Chic » Young la représente sous les traits de *Blondie*, écervelée et mignonne, mariée à Dagwood Bumstead le 17 février 1933 ; elle attendra 1991 (!) pour travailler. Les années 30 ont aussi leur « pin-up » : *Betty Boop* de Max Fleischer, inspirée par la chanteuse Helen Kane. Le cinéma interdira *Betty* pour « obscénité » à cause de sa jupette et de sa poitrine provocante. L'ère des *funnies* s'achève et fait place aux *adventure-strips*.

2. **1931-1937 : l'Aventure.** — En 1931, après le massacre de la Saint-Valentin, le gangster Al Capone, confondu par de brillants policiers en civil, est enfin condamné ; cet événement inspire Chester Gould qui crée, dans le *New York Daily News* du 11 octobre 1931 et le *Chicago Tribune* du 12, l'incorruptible *Dick Tracy* en lutte contre les malfaiteurs et les policiers véreux (*Dick Tracy* servira plus tard de modèle au caricatural *Fearless Fosdick* d'Al Capp). En janvier 1934, Alex Raymond imagine trois héros bien différents : *Secret Agent X-9* (récits policiers sur une idée de Dashiell Hammet), *Jungle Jim* (aventures exotiques) et *Flash Gordon* (série d'anticipation dont Fellini écrira certains scénarios). En octobre 1934 Milton Caniff met en scène un jeune garçon audacieux, *Terry* (intégrale en couleurs chez Zenda). Mais les *comics* qui contiennent davantage de récits d'aventures que d'histoires humoristiques reviennent à leur signification première avec, le 20 août 1934, *Li'l Abner* d'Al Capp. A travers la famille Yokum, on assiste à une véritable satire de la politique et de la société américaines. Vers 1931 apparaît un drôle de personnage guère bavard, *Le Petit Roi* ; son « père » Otto Soglow a volontairement choisi un style graphique très simple.

Cependant l'aventure règne dans la BD et Lee Falk introduit deux personnages intéressants. Le premier (dessiné par Phil Davis puis Fred Fredericks à partir

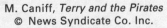

M. Caniff, *Terry and the Pirates*
© News Syndicate Co. Inc.

Eisner
The Spirit
© J. Steranko

15

de 1964), *Mandrake*, magicien qui met ses pouvoirs hypnotiques au service du Bien et de la Justice, apparaît le 11 juin 1934. Le second, *The Phantom*, surgit sous le crayon de Ray Moore dans le *New York American Journal* (17 février 1936).

Avec *Le Fantôme*, la BD trouve son premier héros, une sorte de « héros-dieu », invincible mais immortel uniquement dans l'esprit des populations qui le vénèrent. La première caractéristique en fait un précurseur et la seconde le distingue du futur monde des super-héros encore en gestation. L'homme ayant des limites, il faut créer un être doué de pouvoirs supérieurs, capable de sauver l'Amérique qui se relève de la grande crise. Alors commence l'ère des super-héros.

3. **1938-1954 : les super-héros**[1]. — En mars 1937, *Detective Comics*, dirigé par Donenfeld, sort un *comic book* qui ne donne plus l'impression d'être un supplément aux bandes des quotidiens, mais un livre à part entière. En 1938, il propose les planches que deux étudiants, Joe Shuster (dessin) et Jerry Siegel (scénario), essaient de placer depuis 1933 ; le n° 1 d'*Action Comics* paraît en juin avec *Superman*. Mais la réussite a sa rançon : les imitateurs. La « copie » de *Superman* possède une « clé » donnant accès aux superpouvoirs : *Shazam*! C'est ainsi que *Captain Marvel* apparaît en 1941 (pour disparaître en 1953 après la perte du procès pour plagiat engagé contre lui par NPP). Entre-temps un autre personnage fait rêver les jeunes Américains : *Batman*, dont les parents ont été tués par un malfaiteur, prend vie sous le crayon de Bob Kane dans le n° 27 (mai 1939) de *Detective Comics*.

Marvel Comics choisit novembre 1939 pour publier son premier numéro avec la *Human Torch* et le *Sub-Mariner*. Le n° 8 (mars 1941) de *All-Star-Comics* permet à un psychologue, William Marston, d'envoyer à la rescousse de l'Amérique une héroïne de la mythologie grecque : *Wonder Woman*. L'Amérique entre en guerre : il lui faut un

1. A.-I. Baron-Carvais, thèse 3ᵉ cycle. Cf. bibliographie.

super-héros aux couleurs nationales. Jack Kirby et Joe Simon le baptisent *Captain America*. Il soutient le moral de l'Amérique mais n'est pas le seul à combattre les nazis : *Superman* et *Wonder Woman* sont là. En 1940, Will Eisner met en scène un vengeur masqué, *The Spirit*, qui a l'originalité de ne posséder aucun super-pouvoir. En 1945, le moment ne semble pas propice à la venue de nouveaux défenseurs et Alex Raymond invente alors un détective à lunettes, intellectuel et joueur d'échecs, *Rip Kirby*. Dans cette période troublée Caniff abandonne *Terry* pour créer *Steve Canyon* le 13 janvier 1947. Les années 49-50 voient la prolifération de *horror comics* : *Crypt of Terror, The Vault of Horror*... dus à William Gaines, le fils de M. C. Gaines, qui a hérité de la firme Educational Comics et en a fait Entertaining Comics : EC.

Mais en 1950 arrivent les *Peanuts* de Schulz, où des enfants et un chien *(Snoopy)* raisonnent et déraisonnent. Cependant EC continue à augmenter le nombre de ses publications et, en 1952, Harvey Kurtzman lance une revue satirique, *Mad*. Pendant ce temps, le psychiatre F. Wertham étudie l'influence des BD sur le psychisme des enfants et les accuse d'être leur mauvais génie.

4. **1955-1960 : période de récession.** — Les véhémentes protestations du Dr Wertham incitent le *US Senate Subcommittee on Juvenile Delinquency* à enquêter sur les *comic books* et aboutissent à une *Comics Code Authority* sans laquelle les revues ne peuvent paraître (cf. chap. III). EC pour tourner le Code sort de nouvelles séries : *Impact, Valor, Aces High* et change le format de *Mad*. Les premiers artistes *underground* : Jay Lynch, Skip Williamson, Gilbert Shelton, Joel Beck et Robert Crumb participent à *Help* créé en août 1960 par Harvey Kurtzman. Les super-héros ont besoin d'un second souffle, Batman combat aux côtés de Superman chez DC, mais Marvel n'a rien trouvé pour les concurrencer. De ce fait, en 1961, Stan Lee réclame l'aide du dessinateur Jack Kirby pour insuffler une nouvelle vie aux super-héros.

5. **1961-1970 : nouveau succès des « comics » et émergence des « comix ».** — Stan Lee et Jack Kirby (*The Art*

of Jack Kirby, The Blue Rose Press, 1992) abordent un nouveau style de super-héros dotés d'une vie personnelle et d'une « humanité » avec les *Fantastic Four* en novembre 1961. Le succès est immédiat et les deux complices continuent sur leur lancée. Leurs super-héros appartiennent presque toujours à la science-fiction, mais leurs origines ont des explications quasi rationnelles : rayons cosmiques, explosions radioactives... Le Dr Banner devient, après avoir absorbé des rayons gamma, une brute à la peau verte : *The Incredible Hulk.* Quant au Dr Blake, sa double identité est empruntée à la mythologie : *Thor*, dieu nordique du Tonnerre. Les modèles sont bien établis quand arrive, en septembre 1962, *Spiderman* de Stan Lee et Steve Ditko (provoqué par les médias, incompris, il mène de pair études et super-exploits).

Lee et Donald Heck créent *Iron man* en 1963 : un chercheur américain prisonnier d'un dictateur sud-vietnamien doit construire une arme terrible mais, se sachant mourant, fabrique, pour survivre, une armure de métal dans laquelle il s'enferme et se régénère.

Steve Ditko invente le maître de la magie noire : *Dr Strange.*

Lee et Kirby cherchent continuellement de nouveaux héros : le Pr Xavier contacte mentalement les mutants dispersés à travers le monde et les *X-Men*, simples mortels, se renouvellent à l'école des mutants. En 1964, Lee suggère à Everett de reprendre *Daredevil* créé en 1941 par Biro. En mars 1965 un être du cosmos, le *Silver Surfer*, héraut d'un « mangeur de planètes », apparaît sur terre et se heurte, incompris, à la race humaine.

James Warren *(Warren Publications)* allie le fantastique à l'horreur et produit *Eerie* le 28 décembre 1965, que suit *Creepy* en 1966. En 1969 une émule du comte Dracula apparaît : *Vampirella*. En 1970, pour Marvel, Barry Smith dessine *Conan le Barbare* adapté par Roy Thomas d'après Howard.

Parallèlement à cette « palingénésie » des super-héros dans les années 60 on assiste à une manifestation graphique du grand mouvement de la contre-culture : la jeunesse refuse l'*American way of life*, la politique du gouvernement et tous les interdits (sexe, drogue...). La BD *under-ground (comix)* qui paraît alors en dehors des circuits officiels représente la contre-idéologie de la nouvelle vague ; elle existe toujours (éd. *Last Gasp*) mais n'a plus l'actualité brûlante qu'elle eut jusqu'en 1970 environ. Elle subsiste pourtant sur la côte ouest avec Shelton *(Wonder Warthog, Freak Brothers...)* et d'autres dessinateurs qui s'expriment régulièrement dans le *Berkeley Barb, National Lampoon...* et publient des *comic books* qui se vendent plus ou moins ouvertement suivant les Etats. L'actualisation en 1971 du Code de 1954 a sans aucun doute banalisé cette presse.

6. **1971 : libéralisation du Code.** — En 1971, les *comics* peuvent enfin aborder certains sujets tabous (séduction ou drogue) et montrer quelque sympathie pour les criminels. Le succès foudroyant de Marvel lui permet d'imposer ses valeurs au Code.

7. **1980... : renaissance flamboyante.** — De nombreuses compagnies indépendantes tentent de rivaliser avec Marvel et DC (Eclipse, First...). Ces BD marquent un retour aux sources : science-fiction et horreur, mais le marché reste dominé par des super-héros réalistes.

Tous les sujets sont abordés (ex. : *The Nam* du vétéran D. Murray), toutes les approches graphiques essayées (peinture, collage, photos, aérographe), la présentation soignée (*Ronin* de Miller, les *graphic novels*) rappelle les BD européennes[1]. Le *comic book* qu'on range enfin sur l'étagère prend le nom de *bookshelf* et paraît sans le sceau du Code. On modifie le *look* et la personnalité des héros classiques (*Dark Knight* de Miller, *Man of Steel* de Byrne, *Shadow* de Sienkiewicz et Helfer). Waller et Worley « libertinent » gaiement avec *Omaha* dans *Bizarre Sex* (1981). Une collaboration étroite s'établit entre Américains et Anglais (*Arkham Asylum* de Morrison et Mc Kean, *Give Me Liberty* de Miller et Gibbons, *Big Numbers* de Sienkiewicz

1. *Les médias français aux Etats-Unis,* collectif, Presses Universitaires de Nancy, 1994.

et Moore). D'*Elektra Assassin* de Miller et Sienkiewicz à *Big Black Kiss* de Chaykin, des *Watchmen* (cf. p. 37), à *Moonshadow* de DeMatteis et Muth les talents éclatent (éd. fr. Zenda, Delcourt et Comics USA). Sourions avec une parodie de 1983 dont le succès mondial fut une surprise : les *Tortues Ninja* de Laird et Eastman (qui créeront les éd. Tundra avec les bénéfices). Art Spiegelman utilise l'univers animalier pour narrer la vie de son père, victime de la barbarie nazie, dans *Maus* (éd. fr. Flammarion ; prix spécial Pulitzer 1992).

Les éditeurs pullulent : Kitchen Sink, Fantagraphics, Drawn and Quarterly, Eros Comics, Sun Comics Publishing (avec des *manga*), Image Comics (avec McFarlane, Liefeld, Jim Lee...). De nouveaux héros arrivent : *Nomad, Morbius, Punisher 2099, Spiderman 2099* (éd. fr. Sémic)... tandis que *Superman* meurt fin 1992 (35 millions d'ex.) pour renaître à Pâques 1993 sous quatre identités différentes afin de garder le suspense. Pour l'amour de l'art, on va aux enchères de Guernsey's, Sotheby's et Christie's East. Même le Président Bush se pencha sur les BD... pour critiquer l'esprit *anti-establishment* des *Simpsons*. Une nouveauté : des super-héros créés par des artistes noirs chez des éditeurs noirs pour un public noir, *Icon* (éd. Milestone) et *Zwanna* (éd. ANIA) (cf. *Comics Journal,* n° 160, juin 1993).

II. — L'école franco-belge

1. **Premiers pas, premières découvertes.** — A) *1889-1934 : Et vint la bulle.* — En 1889 l'éditeur Armand Colin lance *Le Petit Français illustré* avec une histoire en images hebdomadaire. En 1903 Fayard publie *La Jeunesse illustrée*, avec Benjamin Rabier. En 1905, le n° 1 de *La Semaine de Suzette* (1er illustré pour filles) sort *Bécassine* dessinée par Joseph Pinchon sur un texte de Caumery, (l'éditeur Maurice Languereau). Pinchon dessine la dernière aventure de Bécassine en 1950, trois ans avant sa mort. Jean Trubert la fait revivre en 1959 dans *Bécassine revient.* En 1908, *L'Epatant* (des frères Offenstadt) publie *Les Pieds Nickelés* de Louis Forton, trois compères combinards, Ribouldingue, Filochard et Croquignol, repris

Pinchon
Bécassine
© Gauthier
Languereau

Forton
Les Pieds Nickelés
© H. Veyrier

Pellos
Les Pieds Nickelés
© Société Parisienne
d'Edition

avec succès par Pellos en 1948. Forton fera d'autres BD dont *Bibi Fricotin* en 1924. En 1909, Vallet crée *L'Espiègle Lili* (rééd. Vents d'Ouest, 1992).

En 1914 les héros de BD partent au front soutenir le moral des troupes. En 1925, *Le Dimanche illustré* apporte un changement avec Alain Saint-Ogan qui systématise l'emploi de la bulle dans *Zig et Puce* (encore publié dans *France-Soir* en 1958), deux garçonnets accompagnés d'*Alfred le Pingouin*, symbole des prix du Salon de la BD d'Angoulême : les *Alfred* furent à la BD ce que les *César* sont au cinéma français (en 1989 les *Alph-Art* les remplacent). Saint-Ogan garde néanmoins le style histoire en images (texte sous le dessin) dans *Prosper l'Ours*.

B) *Tintin* versus *Mickey*. — Georges Remi, qui publia à 17 ans, en 1924, dans le *Boy Scout belge*, demande conseil à Saint-Ogan et sous le pseudonyme d'Hergé réalise la première BD belge, *Totor CP des Hannetons*. Dans le n° 11 du *Petit Vingtième* du 10 janvier 1929 Tintin débute ses *Aventures au pays des Soviets* avant de visiter le monde, la lune, ainsi qu'un pays imaginaire, la Syldavie. Il créera aussi *Quick et Flupke, Popol et Virginie* et *Les Aventures de Jo, Zette et Jocko*. Son dernier album *L'Alph-Art* sortira inachevé à titre posthume en 1986.

En cette année 1929 Paul Winkler fonde Opera Mundi représentant en France le King Features Syndicate, le plus important producteur de BD aux Etats-Unis. En 1934 il crée *Le Journal de Mickey* (avec les personnages de

Walt Disney) qui publiera plus tard : *Annie la petite orpheline, Pim-Pam-Poum, Mandrake, Luc Bradefer, Hägar Dünor*... En Belgique, le matériel américain se trouve dans *Bravo* (production nationale dès 1942 avec Sirius, Jacobs...). Le succès est immédiat et la presse enfantine européenne, encore trop axée sur l'histoire illustrée, doit se renouveler.

2. **1938-1946 : tristesse, humour et aventure.**

A) *BD résistante ou collaboratrice ?* — Avant guerre les Editions Sociales Internationales éditent une revue *Mon camarade* avec de nombreuses histoires antifascistes et antihitlériennes. Dès 1939 la BD américaine est censurée sur le plan graphique : les armes sont effacées.

A partir de juin 1940, les grands titres partent en zone libre *(Mickey, Robinson, Jumbo, Cœurs Vaillants, Ames Vaillantes)*. De 1940 à 1942, certaines revues disparaissent *(Tarzan, L'Audacieux, L'Aventureux, Junior...)* tandis que d'autres apparaissent *(Le Journal de Taty, Siroco...)*. Pendant ce temps, la police allemande censure les BD restées en zone occupée *(Pierrot, Lisette, Fillette...)*, jusqu'à disparition en 1942. Le régime nazi, persuadé des bienfaits de l'endoctrinement dès l'enfance, essaie de tirer parti de l'intérêt des jeunes pour la BD et cautionne *Le Téméraire : le journal de la jeunesse moderne* dont l'idéologie rejoint la sienne. De mai 1943 à juin 1944, des BD comme *Vers des mondes inconnus* de Liquois, *Marc le Téméraire* de Josse, *Dr Fulminate et Pr Vorax* d'Erik diffusent une propagande constante en faveur de l'occupant. Les nazis autorisent d'autres publications (*Fanfan la Tulipe*, de tendance pétainiste). En 1944-1945 sort *La Bête est morte* de Calvo et Dancette, transposition animalière de la guerre (exposition à Angoulême 1993).

B) *Les deux écoles belges.* — En Belgique, le Français Robert Velter imagine le personnage de Spirou en 1938 pour un magazine qui prend son nom, fondé par Jean Dupuis. Le personnage est repris de 1944 à 1946 par Jijé qui lui adjoint Fantasio et Spip, puis par André Franquin qui crée le célèbre Marsupilami. *Le Journal de Spirou* lancera de nombreux artistes (Sirius, Hubinon, Delporte, Macherot, Leloup, Marcello, Fournier, Salvérius, Cauvin, Bretécher...). La majorité de ces dessinateurs utilisent un style assez humoristique, un dessin assez « rond », peu de récitatifs, des bulles arrondies, beaucoup de symboles pour représenter le mouvement. Ils forment l'école de Charleroi (dite aussi de Marcinelle). Elle s'oppose à l'école de Bruxelles, née dans *Le Journal de Tintin* créé en Belgique en 1946 où Hergé fera paraître en épisodes les aventures de son héros. Autour d'Hergé, plusieurs collaborateurs vont affirmer leur talent comme Edgar Jacobs *(Blake et Mortimer),* Bob de Moor *(L'Enigmatique M. Barelli)* ou Jacques Martin dont le héros antique *Alix* connaît en 1984 la consécration lors d'une exposition à la Sorbonne (traduction en latin en 1983). Chez ces artistes, le dessin est plus réaliste tout en restant codé, les décors traités de façon minutieuse (d'après documentation), le texte abondant, les bulles rectangulaires.

Dans le n° 1 du *Journal de Tintin* débutent les histoires de Corentin, dues à Paul Cuvelier dont le style réaliste très soigné a suscité l'admiration d'Hergé.

Le journal a permis l'éclosion de plusieurs générations de dessinateurs célèbres : Weinberg *(Dan Cooper),* Graton *(Michel Vaillant),* Reding *(Jari)* dans les années 60, Hermann *(Bernard Prince, Comanche),* Vance *(Bruno Brazil),* Dany *(Olivier Rameau),* Auclair *(Simon du fleuve),* Derib *(Go West, Buddy Longway)* dans les années 70, Rosinski *(Thorgal),* Andréas *(Rork),* Gine *(Capitaine Sabre),* Wieland *(Aria),* Pleyers *(Jhen)* et Cosey *(Jonathan)* dans les années 80.

3. **1947-1958 : le protectionnisme français.** — Si les journaux belges se sont développés après guerre, la presse française n'est pas restée inactive. Elle a été favorisée par la loi du 16 juillet 1949 destinée à protéger la jeunesse des dangers de la BD, mais vouée en fait à protéger la production nationale face aux BD étrangères, surtout américaines. Cette loi est curieusement née de l'alliance des communistes et des catholiques, l'anti-américanisme des uns étant aussi fort que le nationalisme des autres.

En 1947 *Spirou*, composé en majeure partie de matériel

belge, arrive en France. Le 12 juin de la même année Morris (Maurice de Bevère) crée *Lucky Luke* (en 1955 il confie les scénarios au Français Goscinny). Jijé imagine les aventures de *Jerry Spring* en 1954 (rééd. *Tout Jijé,* Dupuis, 19 vol. prévus). En 1956 Maurice Tillieux retrace les enquêtes d'un détective : *Gil Jourdan.* En 1957 Franquin crée un héros maladroit : *Gaston Lagaffe.* En 1958 Pierre Culliford, dit Peyo, met les *Schtroumpfs* (traduits en 30 langues) sur la route de *Johan et Pirlouit* (créés en 1952) dans *La Flûte à six Schtroumpf*s. La même année Jean-Michel Charlier et Eddy Paape présentent *Marc Dacier*. Roba, qui en 1958 raconte les facéties d'une bande d'enfants, *La Ribambelle*, met en scène en 1960 un jeune garçon *Boule* et son chien *Bill* qui réfléchit comme un humain. En 1969 Walthéry dessine *Natacha*, pulpeuse hôtesse de l'air à qui les Editions Khani consacrent un album-hommage en 1990. En 1981 Hislaire propose les aventures de *Bidouille et Violette*. Jannin sévit avec Delporte...

En France les années 50 sont placées sous l'étoile de Marijac (Jacques Dumas), ancien dessinateur de *Cœurs Vaillants*; il lance de nombreuses revues (*Coq Hardi*, 1944; *Mireille*...) et des dessinateurs (Claude Marin, Uderzo, Forest...). Le Parti communiste français patronne *Vaillant* (1945), un hebdomadaire destiné à la jeunesse — tout comme *Le Journal de Pif* qui lui succédera en 1965 avant de devenir *Pif Gadget* en 1969. Jusqu'en 1954 les Editions Vaillant publient *Camera 34* qui sera un tremplin pour de nombreux talents comme Forest ou Gillon. En dehors de *Pif le Chien* de Claude Arnal (le Catalan José Cabrero, qui débuta en Espagne puis s'installa en France après la guerre), les petits ne sont pas oubliés : *Roudoudou* (Arnal), *Riquiqui* (Moreu).

La presse catholique produira deux groupes : Bayard Presse : *Bayard* pour les garçons, *Bernadette* pour les filles, avec souvent les mêmes dessinateurs (Petillot, Forget, Gervy, Chakir...), et les Editions de Fleurus : *Cœurs Vaillants, Ames Vaillantes*... Mais la France ne se limite pas à la production nationale. Les Editions Artima, qui avaient leurs propres dessinateurs au début des années 50, découvrent quelques années plus tard la BD américaine *(Captain America...)*. Les Editions Lug, après avoir publié des BD italiennes *(Zembla, Blek le Roc)*, se spécialisent dans les BD américaines de super-héros du groupe Marvel *(Strange, Nova, Spidey)*, avant de devenir Sémic France. Sagédition publie beaucoup de matériel étranger, italien et américain.

4. **1959-1968 : naissance de la BD adulte.** — Le 29 octobre 1959 apparaît un « grand magazine illustré des jeunes » (qui s'adressera rapidement à un public plus âgé) : *Pilote* avec à sa tête René Goscinny (qui y créera *Astérix* avec Uderzo), entouré de Charlier et Giraud *(Blueberry)*, Cabu *(Le Grand Duduche)*, Greg *(Achille Talon* dont le délire verbal régale les lecteurs)...

Parmi les collaborateurs de *Pilote*, on trouve Ache, Alexis, Philippe Bertrand, Claire Bretécher, Cabanes, Comès, Victor de La Fuente, Mic Delinx, Derib, Druillet, Ferrandez, Floc'h, F'Murr, Forest, Régis Franc, Fred, Gébé (il rejoint *Hara-Kiri* en 1971), Annie Goetzinger, Goossens, Got, Gotlib, Lauzier, Lob, Mandryka, Mézières *(Valérian)*, Pétillon, Pichard, Reiser (qui partira chez *Hara-Kiri* et *Charlie-Hebdo*), Tabary, Tardi, François Thomas, Tillieux, Veyron. En 1983 Bilal et Christin y présentent leur *Partie de chasse*, critique du système communiste. *Pilote* est mort mais la BD continue, *Julie Bristol* de Montellier, *Condor* de Rousseau et Autheman, *Gato Montès* de Fahrer, *Nabuchodinosaure* de Widenlocher et Herlé, *L'histoire du corbak aux baskets* de Fred.

Forest, *Barbarella*
© 1964, Losfeld

Régis Franc, *Tonton Marcel*
© 1983, Casterman

Comme l'évolution de *Pilote* l'indique, la BD pour adultes apparaît dans ces années-là. En 1960, Cavanna, Reiser, Georges Bernier *(le Pᵉ Choron)* et Fred fondent un « journal bête et méchant » : *Hara-Kiri*. L'éditeur Losfeld lance des BD érotiques : *Barbarella* (Forest, 1962, pré-parue dans *V-Magazine*), *Les Aventures de Jodelle* et *Pravda la Survireuse* (Peellaert, 1966 et 1967), *Epoxy* (Cuvelier, 1968), *Saga de Xam* (Devil, 1970).

En 1967, la Socerlid (cf. p. 80) expose au Musée des Arts décoratifs : *Bande dessinée et Figuration narrative*.

5. **1968-1978 : contre-culture.** — *Charlie-Mensuel*, né en 1969 dirigé par Delfeil de Ton, débute avec Cabu, Reiser, Gébé, Willem et Wolinski (qui y crée *Paulette* avec Pichard). Les années 80 nous y font (re)découvrir Loisel et Le Tendre *(La Quête de l'Oiseau du Temps)*, Cabanes *(Dans les Villages)*, Caza et Bazzoli, Caumandre, Hugot, Godard, Vink, Frémond... Les *pockets* d'Elvifrance créés par Bielec en 1969 et spécialisés dans la BD érotico-porno s'arrêtent en 1992 après avoir été quantitativement les éditions les plus interdites de France.

Puis des dessinateurs de *Pilote*, désireux de s'impliquer davantage, fondent de nouveaux journaux. Gotlib, Bretécher et Mandryka créent en 1972 *L'Echo des Savanes*

Druillet
La Nuit, 1976
© Dargaud, 1984

Cabanes
Colin-Maillard, 1989
© Casterman

(repris par le groupe Filippachi, il nous offre des BD adultes d'un ton différent avec Manara *(Le Déclic)*, Veyron *(L'Amour-Propre)*, Gillon, Rossi et Le Tendre, Mattioli, Levis, Corben, Vuillemin, Mattotti; Albin Michel éd. propose *Ma vie est un bouquet de violettes* de Dionnet et Bob Deum, *Brune* de Guibert...). Gotlib quitte le magazine en 1975 et crée *Fluide glacial*, consacré à l'humour, la parodie et la dérision (Binet, Lelong...).

En 1975 Druillet, Moebius et Dionnet publient *Métal Hurlant*, journal d'abord axé sur la science-fiction, la primauté du dessin sur le texte (une bulle en 28 planches dans *Arzack* de Moebius!) et les montages hardis. Au fil des ans, le journal devient le réceptacle de toutes les modes, tant politiques que graphiques ou culturelles (BD rock), mais disparaît en 1987 après 133 numéros.

On y apprécie Moebius (Grand Prix national des Arts graphiques 1985 attribué pour la première fois à un créateur de BD), Caza, Gillon, Margerin, Dodo et Ben Radis, Tramber et Jano, Hé, Chaland, Floc'h, Cadclo, Jodorowsky, Petit-Roulet...

Les Humanos continuent avec talent : *Monsieur Jean* de Dupuy et Berbérian, la série *Frank Margerin présente, La Chambre nuptiale* de Bézian, *Foligatto* de Crécy et Tjoyas.

6. **1978 : retour au classicisme.** — Après des hésitations *Circus* (1975-1989), fondé par Glénat (qui avait créé en 1969-1970 *Schtroumpf - Les Cahiers de la Bande Dessinée et Schtroumpfanzine*), se veut le tenant de l'aventure classique éloignée de tout intellectualisme.

On y retrouve Bourgeon *(Les Passagers du Vent)*, Corteggiani et Bercovici, Tito et Bucquoy *(Jaunes)*, Brunel, Vicomte, Makyo, Queirolo et Brandoli, Hermann, Hardy, Yslaire *(Sambre)*, Yann.

De 1985 à 1992, Glénat sort *Vécu,* revue d'Histoire et d'histoires (Juillard, Martin, Adamov, Cothias, Hermann).

Dès 1978, *(A suivre),* mensuel édité par la maison belge Casterman, nous offre :

Adèle Blanc-Sec (Tardi), *La Fièvre d'Urbicande* (Schuiten et Peeters), *Triton* (Torrès), F'Murr, Comès, Sokal, Boucq, Loustal et Paringaux, *Colin-Maillard* (Cabanes), *Les Compagnons du*

Giraud, *La dernière carte,* 1983
© Novedi, SA, Bruxelles

Moebius, *L'Incal,* 1982
© Humanoïdes Associés

A. et D. Varenne, *Ida*
1983 © Albin Michel

Ferrandez,
L'année de feu,
1989 © Casterman

Will et Desberg, *La 27e lettre*
1990 © Dupuis

Baudoin,
Le Portrait,
1990 © Futuropolis

Crépuscule (Bourgeon), *Brüsel* (Schuiten et Peeters), *Face de Lune* (Boucq et Jodo), *L'Alligator blanc* (Rossi et Giraud), *Augustin* (Arno).

Peu à peu apparaît un « Nouveau Réalisme » à la limite de l'hyper-réalisme[1]. Les années 80 offrent aux amateurs de BD de nombreuses productions de qualité ; Moebius, l'autre visage de Giraud, privilégie la science-fiction *(L'Incal)* ; Tardi brille dans les BD « noires » : *Tueur de cafards, 120 rue de la Gare* (d'après Malet) ; Liberatore et Tamburini délirent avec *Ranxerox*, un robot bagarreur et dépravé ; Frank Margerin et ses « faux durs » nous font rire ; Varenne manie avec art le noir et blanc *(Ida)*... et la couleur *(L'Art érotique)* ; Muñoz et Sampayo pratiquent la même palette dans *Alack Sinner Flic ou Privé* ; de nombreux talents s'épanouissent : Rousseau, Le Gall *(Théodore Poussin)*, Cossu, Baru, Cadelo... Delcourt publie dès 1987 des BD interactives, cet éditeur nous révèle Claire Wendling, Mazan, Plessix et Dieter.... Futuropolis arrête en 1989 son intéressante *Collection X* après 80 titres en 5 ans. Dupuis destine la collection *Repérages* aux grands adolescents, *Aire Libre* pour un public plus âgé avec des récits de qualité (Will et Desberg, Conrad, Griffo et Van Hamme, Hausman et Dubois, Dethorey et Le Tendre, Stassen et Lapière, Servais). Vents d'Ouest propose *Peter Pan* de Loisel, *L'Ile des Morts* de Sorel. Ampère-Média Participations[2] rachète Fleurus (1985), Lombard (1986) et Dargaud (1988) ; ce dernier, après un certain flottement, reprend une politique éditoriale, favorise les jeunes auteurs (Giordano, Francard, Colbus...) dans *Génération Dargaud,* publie un bulletin de liaison *La Lettre* et rachète en 1992 les treize titres des éditions Blake et Mortimer. Fin 1991 la Belgique assimile les auteurs aux « artistes en arts plastiques » et récompense Franquin, Morris, Roba, Greg, Graton, Aidans... Les éd. Rackham révèlent Karim, Robin, Rabaté, Garrigue, Riff, Edith. P. La Police fait

---

1. B. Lecigne et J.-P. Tamine, *Fac-similé : Essai paratactique sur le Nouveau Réalisme de la bande dessinée,* Futuropolis, 1983.
2. Cf. *Les Cahiers de la BD*, n° 89.

grincer des dents avec *Les Praticiens de l'infernal* (J.-P. Faur, 1993). Les collections de poche-BD, après un succès fulgurant, affichent une réussite contestable.

III. — **Bande dessinée :**
phénomène mondial

L'universalité de la BD est si évidente qu'Angoulême 84 a choisi ce thème. La BD a envahi les cinq continents mais son impact n'est pas le même partout : la tradition et l'actualité (sans oublier la censure) ont instauré un découpage temporel différent.

1. **L'Europe.** — Deux guerres ont transformé l'Europe au XXe siècle et la BD s'est modifiée en même temps. Il faut donc distinguer ce qui se passe avant la Grande Guerre (précurseurs jusqu'à 1914), pendant (1914-1918), l'entre-deux-guerres (1918-1939), la Deuxième Guerre mondiale (1939-1945), l'après-guerre (1945-1960). Dans les années 60, la libération des femmes et surtout celle des jeunes deviennent l'élément moteur d'une évolution dont on peut mesurer les conséquences après 1970.

Après-guerre les gens avaient besoin d'évasion que la BD, entre autres, leur fournissait. Les années 70 correspondent à la reconnaissance officielle de la BD par des expositions (1970, Allemagne, Suisse et Angleterre ; 1975, Pays-Bas), des musées (1976, Suède), des sociétés de BD ou des clubs (1971, Finlande ; 1979, Portugal). Les grands précurseurs se sont essoufflés rapidement : les Suisses s'expriment en Belgique (Derib, Cosey) ou en France (Ceppi) ; l'Allemagne, envahie de BD étrangères, se réveille dans les années 90 ainsi que le Danemark où paraît *Nordic-Comics Revue* éditée par Madsen. L'Angleterre, et particulièrement l'Italie et l'Espagne offrent davantage de créations marquantes.

SUISSE

Précurseurs-1914. — 1827 : histoires en estampes de Töpffer.
1918-1939. — 1929 : *L'Echo illustré* publie *Tintin au pays des Soviets.* — 1930... : *Globi*, BD pour enfants de Lips.

1960-1970. — Années 60 : Club des amateurs de BD, avec une revue *Le Phylactère*. — 1964 : Derib, bien que suisse, fait ses débuts au Studio Peyo à Bruxelles.
1970-.... — 1970 : Librairie de BD à Yverdon (*La Marge*) ; *Paul Aroïd* de Cosey ; 1re exposition de science-fiction (partie BD réalisée par la Socerlid) en la Kunsthalle de Berne. — 1973 : *Yakari le petit Indien* et *Buddy Longway* de Derib ; *Barbarie*, mensuel de Lausanne qui révèle Pajak, Gros. — 1977 : *Le Guêpier* de Ceppi. — 1978-1979 : panorama des auteurs suisses dans *24 Heures*, important quotidien romand. — Dès 1982 : articles BD dans *La Revue du Vieux Genève*. — 1984 : Ab'aigre, Aloys, Ceppi et Poussin au Musée Rath de Genève ; 1er festival de Sierre. — 1985 : *La Marge*, magazine romand de BD gratuit. — 1991 : exposition *Jacobs et la marque jaune* à Yverdon ; *BD et phylactères* de Vermot et Desimoni : livre et émission-TV ; 1re bourse de Zürich. — 1992 : Prix Papiers Gras-Banque Populaire de Suisse à Genève. — 1993 : Caza au musée de la science-fiction et de l'utopie d'Yverdon.

ALLEMAGNE

Précurseurs-1914. — 1844 : *Fliegende Blätter*, feuilles satiriques de K. Braun. — 1865 : *Max und Moritz* de Busch, dans *Fliegende Blätter*.
1918-1939. — 1925-1933 : *Die Blauband Woche*, édité par la margarine Rama, reproduit des BD de Huber, *Hans und Lottchen*. — 1927 : *Félix le Chat* (traduit). — 1929-1941 : les magasins Karstadt publient un journal pour enfants *Dideldum*. — 1933-1939 : le magazine *Neue Jugend* édite *Kalle der Laububenkönig (Winnie Winkle)* sans nom d'auteur.
1939-1945. — 1941 : les BD disparaissent faute de papier.
1945-1960. — 1947-1948 : retour des illustrés ; les journaux ouest-allemands publient des BD américaines (dès 1951-52 : 4 millions d'exemplaires par mois). — 1954 : commission de censure (campagne anti-BD jusqu'en 1956). — 1955 : organisme d'autocensure fondé par les éditeurs.
1960-1970. — BD adulte et politique ; Poth, Waechter, Traxler et Gernhardt (Nouvelle Ecole de Francfort) créent *Pardon*, devenu *Titanic* en 1980 ; Seyfried, Bunk (Ecole de Berlin).
1970-1980. — 1970 : Exposition (celle des Arts Déco, cf. p. 26) à Berlin ; début de la BD *underground*. — 1974-80 : *Zack*, composé de matériel franco-belge.
1980-.... — Schultheiss. — 1984 : 1er festival d'Erlangen. — 1985 : *Werner* de Brösel (3 500 000 ex.) ; Moers ; König (éd. fr. Glénat). — 1991 : planches originales à la Galerie Laqua de Berlin ; *Würgsankeiten* de Sieber, *Präpstfluxoflex* de Dorgathen. — 1992 : *Das autonome Gehirn* de Bodeno, *Das*

letzte Experiment de Neubaers, *Der Slipper* de Hagenows et Lichleder, *Valerius, der Comic Agent* de Baltscheit et Schnalke. — 1993 : 1ᵉʳ festival d'Hambourg ; l'exposition franco-allemande *La Revanche des Régions* (A. Baron-Carvais/Goethe-Institut) voyage après son inauguration à Erlangen 92 ; BD scolaire sur Hitler interdite pour ne pas banaliser le régime nazi.

SUÈDE

Précurseurs-1914. — Dès 1897 : Oskar Andersson publie des HI dans la revue humoristique *Söndags-Nisse.* — Dès 1900 (et surtout jusqu'en 1960), les BD américaines sont largement diffusées en Suède. — 1902-1906 : *L'homme qui fait tout ce qui lui passe par la tête,* BD sans bulles d'Andersson.
1914-1918. — *Adamson* d'O. Jacobsson ; *Jocke* de Lindroth.
1918-1939. — 1923 : *Filimon* de Forslund. — 1929 : *Herr Knatt* de Lundqvist.
1960-1970. — Importation de BD franco-belges. — 1965 : Académie suédoise de la BD. — 1968 : Promotion de la BD suédoise.
1970-.... — 1970 : *Mystiska 2-an* de Gohs. — 1975 : *Ville* de Lööf. — 1976 : L'Académie fonde un musée de la BD à Liseberg. — 1985 : *Socker-Conny* de Pirinen ; congrès à Helsinborg. — 1992 : le Français Mézières est invité au festival de Stockholm. — 1993 : magazine *Splash.*

FINLANDE

Précurseurs-1914. — 1857 : *Monsieur Cryptogame* de Töpffer paraît dans *Sanomia Turusta.*
1914-1918. — 1917-janvier 1918 : première BD finlandaise : *Janne Ankkanen* de Fogelberg et Finne.
1918-1939. — 1925 : *Pierre le Niais* de Fogelberg, BD politique contre la droite (à sa mort en 1952, sa fille continue le personnage). — 1929-1931 : arrivée des BD américaines *(Felix the Cat, Mickey Mouse).* — 1930-1940 : BD manichéenne de Löfving (les bons Japonais *vs* les méchants Bolcheviks).
1945-1960. — 1949 : BD surtout étrangères. — 1954 : Tove Jansson connaît le succès avec *Mummintroll.*
1960-1970. — 1968 : la Bibliothèque de l'Université édite une bibliographie d'Heikki Kankoranta sur les BD parues en Finlande. — 1969 : nouvel arrivage de BD américaines.
1970-.... — 1971 : fondation de la société de BD finlandaise *(Suomen Sarjakuvaseura)* ; Aarnalia publie *Cauchemar de la bombe-bébé.* — 1972-1974 : *Sarjis,* revue de BD uniquement finlandaises (avec Laukkanen, Koivisto, Pitkänen). — 1979 : mouvement en faveur des *comics.* Quelques magazines :

Tapiiri, Pahkasika, Zarpa. — 1982 : 1er Salon à Kemi. — 1984 : *Vallomat* de Pirttisalo ; *L'Art pour l'Art* de Sinisalo et Mänttari.

PAYS-BAS

Précurseurs-1914. — 1904 : Hepkema, éditeur, découvre la BD anglaise.

1914-1918. — BD importées de l'étranger.

1918-1939. — 1921 : *Yoebje en Achmed*, 1re BD néerlandaise de Backer dans le quotidien *Rotterdamsch Nieuwsblad.* — Dans les années 30, hebdomadaires pour enfants : *Sjors* (1936) (BD nationales et étrangères) et *Doc M.* (BD américaines).

1939-1945. — 1940 : *De Aventuren van Joaspie Makreel*, de Marten Toonder. — Mai 1942 : l'importation de matériel américain n'est plus possible, et l'occupant interdit la BD nationale, y voyant de la propagande anti-allemande.

1945-1960. — Studio Toonder avec Kresse, Kabos, Klokkers, Van Wieringen, Ringrose, Lensen, Sprenger, Godhelp, Klooster, Beek... — Studio Avan avec Van Hemmersweil, Kloezman, Van Giffen et Van Haasteren.

1960-1970. — A la fin des années 60 : vigoureux mouvement marginal dont le représentant le plus marquant, *Aloha*, de Willem de Ridder, révélera Clerkx, Bodewes, Smeets, Buckinx, Buchel, Pollman, Swarte et Geradts. *Aloha* devient *Hitweek* et Willem collabore à *Hara-Kiri*, en France.

1970-.... — 1971 : Swarte lance *Modern Paper* et Geradts *Tante Leny* qui, par leur contenu et leur diffusion, peuvent être considérées comme des fanzines. Ces revues publient de *l'underground* américain. — 1975 : exposition *Tante Leny* organisée

Swarte, *Hors série*
© 1984, Futuropolis

Pratt, *Les Celtiques*
© Casterman

par la Rotterdam Art Foundation. — 1976 : exposition *Knifje in Rotterdam*. Un des catalogues titré *De Klare Lyn* avec dessin de Swarte forme le manifeste de l'école de la Ligne claire, inspirée du style d'Hergé (et parfois des thèmes de *l'underground*). Van Den Boogaard s'inspire d'un personnage réel pour *Léon-la-terreur*. — 1977 : *Tante Leny* s'arrête au n° 25. — 1978 : *Talent*, nouveau magazine de Geradts (BD de jeunes auteurs européens) ; Kuijpers commence les aventures de *Franka*. — 1983 : *Gilles de Geus* de Kolk. — 1985 : *De-als-je-maar-bekend-band* d'Evert dans *Eppo*.

PORTUGAL

Précurseurs-1914. — 1850 : anecdotes politiques avec bulles. — 1857 : première HI avec Nogueira da Silva. — 1870-1871 : histoires illustrées par Pinheiro. — 1874-1884 : magazines pour enfants avec des HI. — 1874-1900 : revues satiriques. — 1903 : *O Gafanhoto*, revue illustrée de Valença et Pinheiro.
1914-1918. — 1915 : *Seculo Comico* publie *Quim e Manecas* de Carvalhais.
1918-1939. — Beaucoup de journaux éditent un supplément consacré à la BD. — 1921-1932 *ABCzinho* révèle Carvalhais, Vieira, de Morais, Cristino, Lopes, Botelho, Ribeiro, Dos Santos et Nunes. — 1935 : *O Mickey* publie les premiers *comics* américains et *O Papagaio* Hergé.
1939-1945. — 1939 : *Pirilau* édite des *comics* américains. — 1943 : *Faisca* publie également des BD américaines, mais la guerre en empêche néanmoins la prolifération.
1945-1960. — 1950 : ordonnance des Services de Censure (pour empêcher l'importation étrangère, elle exigeait que 75 % des BD soient portugaises, ce qui n'a pas été vraiment appliqué).
1960-1970. — Revues et fanzines éphémères.
1970-.... — 1971 : *Jacto, Jornal do Cuto* et *Spirou* (principalement BD étrangères). — 1972 : *Quadradinhos*, supplément BD du journal *Al Capital*, fait découvrir de nouveaux talents nationaux. — 1974 : la crise de la main-d'œuvre et du papier provoque l'essor de la BD *underground* (*O Estripador, Evaristo*...). — Fin 1979 : Club de l'Historieta (créé pour reconnaître la BD portugaise). — 1982 : 1er Salon à Sobrieda.

ITALIE

Précurseurs-1914. — 1902 : récits illustrés dans revues pour la jeunesse. — 1908 : supplément illustré dans le *Corriere della Sera* (avec des HI de Rubino) ; en 1912 Attilio y évoque la guerre de Libye.

1914-1918. — Rubino caricature la guerre dans *La Tradotta*, journal des soldats de la IIIᵉ armée.

1918-1939. — Sto crée *Bonaventura* dans les années 20. — 21 novembre 1938 : embargo sur les *comics* étrangers.

1939-1945. — Entre la chute du fascisme en 1943 et la fin des hostilités en 1945, *Le Avventura di'O Scugnizzo* (de Zamperoni) assure la propagande mussolinienne.

1945-1960. — 1945 : une nouvelle génération de dessinateurs (Pratt, Battaglia, Faustinelli, Ongaro...) crée *L'As de pique Comics* sous l'influence des *comics* américains, qui disparaît en 1948. — 1948 : Bonelli crée *Tex*, un western où le manichéisme est roi. — A partir de 1950, Landolfi transpose en images des héros de la littérature classique (1950, *Tartarin* ; 1968, *Don Quichotte* ; 1970, *Gulliver*...).

1960-1970. — Invasion de la production étrangère. La BD italienne emprunte davantage aux genres fantastique et érotique. — 1962-1967 : *Sinbad* (1963), *Ulysse* (1963) et *Hercule* (1965) de Pratt. — 1965 : *Valentina* de Crépax ; *La révolte des ratés* de Guido Buzzelli, analyse cruelle de la société.

1970-.... — 1970 : *Corto Maltese* de Pratt ; seul Bonelli croit en la BD italienne en baisse et sort une collection avec Pratt, Crépax, Battaglia... vendue dès 1978 dans toute l'Europe. — 1975 : *Histoire d'O* vue par Crépax. — 1978 : *HP* et *Giuseppe Bergman* de Manara. — 1979 : *Storiestrice*, société de promotion de BD d'avant-garde. — 1982-1985 : *Orient Express*, revue 100 % italienne ; *Frigidaire* publie Mattioli, Liberatore ; *Marcel Labrume* de Micheluzzi ; revues *Comic Art, Eternauta, Il Grifo, Nova Express*. — 1986 : *Druuna* de Serpieri (éd. fr. Bagheera) ; magazine *Corto*.

ESPAGNE

Précurseurs-1914. — Des revues générales (*amenidades*) publient des HI avec ou sans légendes. — 1904 : Les quotidiens *ABC* et *Blanco y Negro* ont des suppléments de BD.

1914-1918. — 1916 : *Charlot*, revue avec des BD de Rojo.

1918-1939. — 1919 : BD de McManus publiée dans *TBO*. — 1921 : *Katzenjammer Kids* dans la revue *El Amigo*. — 1922 : *El Pinocho*, créé par Bartolozzi. — 1931 : *Pocholo* concurrence *TBO* avec l'aide des dessinateurs Opisso, Moreno, Mestres, Arnal. — 1935-1936 : *Mickey* édite *Mickey, Jungle Jim, Terry and the Pirates...* — 1935-1938 : *Aventuro* publie *Flash Gordon, Tarzan, Mandrake...* — 1936-1938 : *Revista de Tim Tyler* offre à ses lecteurs *Brick Bradford, The Phantom, Buck Rogers.* — 1938 : *Flecha y Pelayos* produit des artistes nationaux : Alcaïde, Ibarra... ; *Chicos*, revue de BD nationales (Blasco...).

1939-1945. — *Années 40* : l'hebdomadaire *Pulgarcito* attire une clientèle adulte en critiquant les faits de société (avec Cifré, Penarroya, Moreno, Escobar, Manuel Vasquez). — La censure se manifeste.

1945-1960. — 1945 : *Jaimito* publie des BD espagnoles et américaines. — 1951 : Francisco de la Fuente propose des BD espagnoles aux quotidiens. — 1952 : BD pour les tout-petits. — 1959 : BD américaines (censurées en partie) des années 30-40.

1960-1970. — 1961 : *Pinpin*, première revue pour enfants en langue basque ; BD de guerre *(Cascode Acero)*. — 1965 : BD de western *(Sioux)*. — 1965-1966 : BD d'espionnage, *Brigada Secreta* et *Espionaje* (avec Huescar, Duran, Farres, Portell, Guerrero, les frères Badia). — 1968 : *Bravo*, revue éphémère utilisant les BD parues dans *Pilote*.

1970-1990. — 1970 : beaucoup de dessinateurs travaillent ailleurs : Palacios crée *Alexis Mac Coy*, V. de la Fuente, *Haggarth* et Gimenez, *Paracuellos* pour la France, Gonzalès dessine pour l'Amérique, Blasco, Fernandez, Garcia partent également à l'étranger. — 1973 : *El Prollo Enmascarado*, journal de BD influencé par l'*underground* américain, avec Mariscal et Nazario. — 1976 : Nazario poursuivi par la police pour *La Pirana Divina.* — 1979 : *El Vibora* publie *Anarcoma* de Nazario, *Opium* de Torres, *Barcelona by Night* de Ceesepe. — 1980 : certains dessinateurs dont Sio retravaillent en Espagne ; Nazario publie son alphabet dans *El Vibora* (M = Miam-miam...) devant l'inquiétude du gouvernement face à l'analphabétisme ! — 1981-1992 : *Cairo*, revue issue de la ligne claire. — 1982 : Escola de Comic Joso à Barcelone. — 1985 : 1er Symposium, avec les Français (cf. p. 80) ; 1er salon de Madrid ; *Dr Mabuse* de Beroy ; *Stratos* de Prado. — 1988 : *Medios revueltos*, revue ; nouveaux talents, Montana, Keko... — 1991 : *Gran Aventuro* s'arrête. — 1992 : disparition des revues *Rumbo Sur, Torpedo* et *Splatter* ; plus de 400 albums de la série *Mortadelo* calquée sur l'actualité ; invasion de *comics US* et de *manga.* — 1993 : Font, Grand Prix du Salon de Barcelone.

GRANDE-BRETAGNE

Précurseurs-1914. — 1794 : *The Progress of a Scottman* de R. Newton. — 1832 : *The Comic Magazine*, mensuel avec des gravures de R. Seymour. — 1867 : *Ally Sloper* de Ross (ancêtre du *Yellow Kid*). — 1894 : *The Big Budget* (avec 8 p. d'HI). — 1896 : *Comic Cuts* inaugure la couleur. — 1904 : 1re BD pour enfants dans le *Mirror*. — 1910 : *Rupert*.

1914-1918. — 1914 : *The Rainbow,* premier illustré créé pour les enfants dès l'origine ; pénurie d'artistes.

1918-1939. — 1920-1929 : les adultes s'intéressent aux BD. — 1927 : *The Jinks Family* dans le *Daily Mirror.* — 1932 : Pett crée

Jane dans le *Daily Mirror*. — 1934 : *Jingles* imprimé en deux couleurs. — 1936 : *Mickey Mouse Weekly* en quadrichromie.

1939-1945. — 1939 : *Derikson Dene* (premier super-héros britannique) de Nat Brand ; *Popeye* est la seule BD américaine dans le *Mirror*. — 1942 : *Garth* de Dowling.

1945-1960. — 1946 : *Comet*, nouvel illustré de l'après-guerre. — 1950 : *Eagle*, nouvel hebdomadaire (*Dan Dare*...). — 1951 : *Dennis the Menace* de David Lax. — 1954 : *The Bash Street Kids* de Leo Baxendale. — 1957 : *Andy Capp* de Reg Smythe, dans le *Mirror*.

1960-1970. — *Modesty Blaise*. — *Tiffany Jones*, seule BD écrite et dessinée par des femmes (Tourret et Butterworth).

Smythe, *Andy Capp*   Quino, *Mafalda*
© 1976, Sagédition   1972 © Glénat

1970-1980. — 1970 : exposition à Londres. — 1971 : *Fosdyke Saga* de Bill Tidy. — 1976 : Smith, le plus important distributeur du pays, interdit la vente d'*Action* dans ses kiosques en raison de l'extrême violence de son contenu. — 1977 : *2000 AD* (science-fiction) révèle Bolland.

1980-1990. — 1981 : *Warrior* (avec *V for Vendetta* de Lloyd et Moore). — 1984 : *Escape* présente Emerson, Eliott et Campbell ; *The London Cartoon Centre*, école de BD avec Lloyd. — 1986 : *Watchmen* de Moore et Gibbons. — 1988 : *Black Orchid* de McKean et Gaiman. — *Viz :* revue d'humour et BD.

2. **L'Amérique**. — A) *L'Amérique du Nord*. — Si les Etats-Unis méritent un long chapitre, il ne faut pas oublier l'autre Amérique du Nord : le Québec. Le ministère de l'Education y officialise la BD à l'Université dès 1972.

1900-1939. — 1902 : HI dans les magazines. *Pour un dîner de Noël*, première BD parue dans *La Presse*. — 1926 : BD américaines dans la presse québécoise. — 8 février 1930 : *Tarzan* en bande quotidienne, à Montréal.

1939-1945. — *Wow Comics, Active Comics, Triumph Comics...*

1945-1967. — Retour des BD américaines. — Dessinateurs québécois pour les revues *Claire et François* et *Hérault*. — Les BD franco-belges remplacent les américaines fin 60.

1968-1990. — Prolifération de revues de BD québécoises. — 1972 : cours « Bandes dessinées et figuration narrative » à Sherbrook. — 1973 : exposition à l'Université de Montréal avec *Captain Kébec* de Fournier. — 1976 : exposition de la BD québécoise à l'Université de Montréal. — 1979 : *Croc* (subventionné par le gouvernement) publie Caboury, Godbout. — 1983 : *Titanic* présente Cloutier, Simard... — 1986 : création de l'Association des Créateurs et Intervenants de la BD.

B) *L'Amérique du Sud.* — L'Argentine est un fournisseur prolifique de dessinateurs et scénaristes. La fin du XIXe siècle voit la naissance de la BD sud-américaine. Au XXe siècle, les années 70 célèbrent la BD : au Mexique, en 1971, avec le premier salon de la Historieta Mexicana au palais des Beaux-Arts ; au Brésil, en 1970, avec le Congrès organisé par l'Escola Panamerica de Arte de São Paulo et la venue de l'Exposition du musée des Arts décoratifs de Paris (1967) et, en 1976, avec le Congrès de Piracicaba sur la production brésilienne ; en Argentine, en 1968 avec la Ire Biennale mondiale de la BD, en 1979 avec celle de Cordoba et en 1991 au Brésil avec celle de Rio.

MEXIQUE

Précurseurs-1930. — 1880 : illustrations de Planas offertes dans les boîtes de cigares. — 1902 : BD muette de Filipo dans *Caras y Caretas*. — 1903 : première BD mexicaine *Don Lupito* par Audiffred pour *Argos*. — 1921 : Pruneda fils dessine *Don Catarino* pour les pages dominicales du *Heraldo de Mexico*. — 1925-1926 : *Mamerto y sus Conocencias* (parodie de *Bringing up Father*) de Tilghman.

1930-1940. — 1932 : le secrétariat à l'Education nationale introduit dans les journaux des BD éducatives ; Tirado, précurseur des BD en série. — 1933-1934 : *Macaco* permet de découvrir de nombreux dessinateurs. — 1935-1936 : *Chamaco* et *Pepin* publieront pendant dix ans les BD les plus importantes.

1940-1960. — 1943 : Gutiérrez dessine *Don Proverbio* (il utilise la technique du demi-ton). — 1952 : *Colorin* et *Mexicolor*, journaux pour enfants avec des BD de Bismarck Mier et Antonio Campuzano. — 1957 : Société mexicaine des Dessinateurs (Rabago, Galindo, Cardenas, Gutiérrez, Suarez, Lopez, Lozano, Cardoso, Reyer, Valdès et Guzman).

1960-1970. — 1961 : José Suarez crée *Alma Grande* (on en a fait deux films). — 1968 : la Western Publishing Co offre à Alatriste de dessiner *Tarzan* (il accepte jusqu'à ce que la compagnie lui demande de s'installer aux Etats-Unis).

1970-1980. — 1971 : premier Salon de la Historieta Mexicana au Palais des Beaux-Arts. — 1973 : la crise mondiale du papier cause la disparition progressive des journaux pour enfants ; violence et érotisme apparaissent dans la BD. — 1974 : *Péon* traduit en BD des ouvrages de vulgarisation scientifique (le journal disparaît au n° 10).

1980-.... — *Manifesto to the Nation*, BD du parti conservateur NAP, attaque la politique économique du gouvernement. — 1991 : traduction du « Que sais-je ? », *La bande dessinée*.

BRÉSIL

Précurseurs-1930. — 1869 : *As Aventuras de Nhô Quim*, 9 épisodes de 2 pages par Agostini pour *Vida Fuminense*. — 1872 : 16 épisodes en HI racontent le voyage en Europe de l'empereur du Brésil. — 1883 : *As Aventura de Zé Caipora* d'Agostini pour *Revista Illustrada* (35 chapitres).

1930-1940. — 1934 : *Supplemento juvenil* d'Adolfo Aizen lance de nombreux dessinateurs : Dias da Silva, Celso, Euzebio, Dutra Salvio (jusqu'en 1945).

1940-1960. — 1951 : première exposition internationale de BD au Club de la Jeunesse juive de São Paulo. De Souza détient environ 30 % du marché de la BD.

1960-1970. — BD américaines (*Tarzan, Superman, Batman, Tom et Jerry*) et adaptations de romans brésiliens.

1970-.... — 1970 : Congrès organisé par Lipzyc, directeur de l'Escola Panamerica de Arte de São Paulo et Exposition (celle du musée des Arts décoratifs de Paris de 1967). — 1976 : Congrès de Piracicaba, production brésilienne et rétrospective du journal *Pilote*. La nouvelle génération imite l'*underground* américain. — 1991 : Ire Biennale à Rio.

Précurseurs-1930. — 1904 : BD politiques et humoristiques dans *PBT* pour les jeunes de 6 à 80 ans. — 1922 : *Pancho Talero* (thème du mari soumis) de Lanteri ; Columba fonde la revue *Pàginas de Columba* où sera publié *Jummy y su pupilo*, première série dont le suspense est tenu d'un numéro à l'autre. — 1929 : première revue entièrement consacrée à la BD, *El Tony*.

1930-1940. — 2 décembre 1930 : première BD journalistique dans *Critica* de Botana où Rojas résume un crime en BD. — 1931 : BD américaines en couleurs dans *Critica*. — 1932-1935 : BD humoristiques ou dramatiques de Clemen. — 1934-1937 : BD d'aventures de Cazeneuve. — 1937 : *Latitud 21* de Fidias (fiction sur l'invasion des Etats-Unis par les Japonais). — Dès 1938, adaptation en BD de romans d'aventures : *Michel Strogoff* par Salinas...

1940-1960. — 1945 : l' « âge d'or » de la BD argentine commence. — 1945-1947 : Adderio illustre *Hamlet, Los Miserables, El Rey Lear* dans *Intervalo* ; Ribas reprend cette démarche avec *Don Quijote de la Mancha* (1946), *La Isla del Tesoro* (1947), *El Mercador de Venecia* (1947). — 1948-1950 : le syndicat Surameris achète des BD en Europe. — 1950 : première BD policière de Freixas : *Dario Malbran* ; le marché réclame des BD nationales ; des artistes européens viennent travailler en Argentine (Pratt, Ongaro, Pavone...). — 1951 : *Fosforito*, de Mordillo. — 1957 : Avec Pratt, Roume et Lopez publient deux mensuels de BD, *Frontera* et *Hora Cero*. — 1958 : *Syndipress*, société de BD.

1960-1970. — 1962 : Pratt se sépare de Oesterheld et retourne travailler en Europe ; nouvelle équipe de dessinateurs argentins (Durañona, Olivera, Muñoz, Sosa, Fernandez, Repetto, Fahrer, Balbi) ; *Mafalda* de Quino, personnage créé au départ pour une publicité, devient bientôt la BD la plus diffusée dans le monde où ses messages percutants intéressent davantage les adultes que les enfants ; *Mort Cinder* de Breccia et Oesterheld. — 1968 : Ire Biennale internationale ; biographie de Che Guevara en BD par Breccia et Oesterheld (BD saisie par le Servicio de Informaciones del Ejercito du gouvernement militaire).

1970-1980. — 1970 : diminution importante de la BD humoristique ; les dessinateurs de la décennie précédente se retrouvent dans *Top*, le journal de César Spadari. — 1972 : *450 ans de guerre à l'impérialisme* d'Oesterheld et Durañona (cette série s'arrête avec la chute du péronisme) ; *Satiricon*, revue humoristique interdite en octobre 1974 par la Présidente (pour atteinte à la Constitution), ce qui amène l'éditeur à publier *Chaupinela* en 1975 avec la même équipe. — 1973 : Breccia reçoit le *Yellow Kid* à Lucca. — 1978 : une dizaine de nouveaux magazines de BD apparaissent. — 1979 : Ire Biennale de Cordoba.

1980-.... — 1980 : Muñoz et Sampayo publiés dans *Hum(r)* ; *Histoire de la BD* par Trillo et Saccomanno. — 1984 : la revue *Fierro* révèle de nombreux talents (supplément *Oxido* consacré à la BD *underground*). — Breccia (éd. fr. Glénat) illustre *Au nom de la Rose* d'Eco.

3. **L'Océanie et l'Asie**. — L'Australie préfère la production nationale à la BD américaine (importée en 1928 et interdite en juillet 1940). La BD indonésienne *(Les BD indonésiennes*, de M. Bonnef aux Ed. Puyraimond, 1976) se cantonne, en général, dans les récits complets ; il y a très peu de dessinateurs professionnels et les fascicules illustrés, imprimés sur du papier de mauvaise qualité, se lisent et se jettent ; les BD américaines n'y ont qu'un succès très limité. Les îles Philippines produisent un nombre incalculable de dessinateurs dont une partie a choisi de travailler aux Etats-Unis. La BD chinoise, contrôlée, suit les fluctuations politiques du pays. Traditionnellement publiée en petit format (1 page = 1 image), elle commence à adopter le grand format nécessitant une mise en pages : *Le Journal des BD (Lianhuanhua Bao)* ; on y trouve aussi quelques bandes italiennes, américaines et japonaises. Si les *comic books* américains se vendent mal au Japon, l'influence américaine y reste cependant très forte (*Manga! Manga!* de F. Schodt, Kodansha, 1983, rééd. 1984).

AUSTRALIE

Jusqu'au XIXe siècle. — Influence britannique très forte à la fin du XIXe siècle.
Début du XXe siècle. — 1907 : Lindsay lance une BD animalière dans un magazine pour adultes. — 1908 : *Vumps*, première revue pour enfants (1 seul numéro). — 1911 : début de la couleur et des bulles. — 1913 : BD politique socialiste de Dunstan, *The Adventures of William Mug*. — 1920 : Cross crée *You and Me* (qui deviendra *The Potts* et existe encore au début des années 80). — 1921 : *Us Fellers (Ginger Meggs)* de Bancks. — 1923 : *The Blimps* de Bancks, première BD quotidienne. — 1928 : le Yaffa Syndicate importe des BD américaines.
1930-1939. — Nombreuses importations étrangères : les *comic books* apparaissent à la fin des années 30 ; *Jungle Drums* de Hicks, *Dick Dean Reporter* de Cook. — 1938 : *The Space Patrol* de Hicks, première BD de science-fiction.

1939-1945. — Limitation des BD américaines dès 1939 et interdiction en juillet 1940.

1945-1961. — 1948 : 27 à 30 titres paraissent chaque semaine ; retour aux séries d'aventures exotiques, policières et de science-fiction. — 1951 : hausse importante des prix du papier et de l'imprimerie. — 1954 : censure, 45 titres interdits dans le Queensland. — 1955 : *Darky* de Russel et *US Girls* de Miller. — 1959 : *Air Hawk* de Dixon.

1961-1970. — La concurrence étrangère interrompt la création ; la BD quotidienne reprend dès 1967 avec Emerson, Peverill et Batten. — 1964 : premier fanzine : *Down Under*.

1970-.... — 1970 : *Iron Outlaw* de Mac Alpine, parodie des superhéros ; nouveau fanzine : *The Australian Collector*. — 1976 : *Snake* de Sols et *Footrot Flats* de Balls. — *Fox Comics* sur le modèle anglais *Escape*.

INDONÉSIE

1930-1939. — *Put on* de Kho Wang ; et BD américaines.

1939-1945. — BD absente des quotidiens.

1945-1961. — Nouvelle invasion des BD américaines (*Rip Kirby*, *Phantom*). — 1954 : *Sri Asih*, première BD indonésienne. — 1956 : BD Wajang dont le succès entraîne l'abandon des BD américaines et relègue au second plan l'influence occidentale.

1961-1970. — 1963-1965 : les BD ressentent le nationalisme sukarnien. — 1967 : l'armée y voit la marque du Parti communiste et les retire de la vente. — 1968 : *Ikasti*, revue regroupant les dessinateurs victimes de la répression. — 1969 : *Eres*, magazine développant une réflexion systématique sur les BD.

1970-.... — Années 70 : 18 quotidiens publient des *comic strips* ; retour des BD américaines.

ÎLES PHILIPPINES

Jusqu'au XXe siècle. — 1898 : les Philippines subissent l'influence américaine (jusqu'en 1956).

1945-1961. — 1956 : *United*, hebdomadaire édité par Pablo S. Gomez, destiné aux adultes.

1970-1990. — 1970 : collaboration entre l'Américain Infantino et le Philippin T. de Zuniga ; expatriation de dessinateurs philippins aux Etats-Unis ; *Filipino Food* d'Ed Badajos, magazine *underground* chez Olympia Press. — 1988 : BD gouvernementales pour l'Armée : *Star Trooper* et *Soldier Boy, I Love You*.

Jusqu'au XXe siècle. — 397-907 : les vies de Bouddha et la mythologie sont l'objet de nombreuses peintures murales. — Du XVIIe au XIXe siècle : développement des estampes et gravures illustrant des romans populaires.

Début du XXe siècle. — 1911 : premiers *Lianhuanhua* (BD chinoises) de Boliang, Shuqi et Zhixuan. — 1921-1929 : les Editions du Monde à Shangaï publient cinq séries de fascicules avec des « images qui s'enchaînent les unes aux autres ».

1930-1939. — 1931 : la Ligue des Ecrivains de gauche veut utiliser les BD pour s'adresser aux prolétaires. — 1937 : la BD se politise avec la guerre contre le Japon.

1945-1961. — BD d'inspiration américaine. — 1949 : création de BD sous le contrôle du gouvernement (salles de lecture mises en place car les BD chinoises se *louent*). — A partir de 1950 : les BD célèbrent les héros de guerre et les réformes.

1961-1970. — 1962 : des éditeurs créent pour le public des campagnes. — 1966 : presque toutes les BD publiées avant la Révolution culturelle sont condamnées.

1970-.... — 1970 : *La Prise de la montagne du tigre par ruse*, 1re BD révolutionnaire. — 1973 : *Le Journal des BD*, interrompu en 1961, reprend avec pour thème principal le héros prolétarien. — 1976 : après Chou En-lai et Mao Tsé-Toung, les BD s'ouvrent à la culture occidentale. — 1978 : les BD reflètent le libéralisme contrôlé de l'époque. — 1979 : *Les trois tribunaux*, politique-fiction montrant la Chine en 1994. — 1980 : *La Dame aux camélias* d'après Dumas fils, 332 planches.

TAIWAN

1958-1963. — BD anti-communistes ; système de location des BD.

1967. — Loi censurant les BD ; les artistes se tournent vers le dessin commercial et le dessin animé (Laoqiong...).

1972. — Création d'un concours annuel de BD.

1982. — *Wulongyuang* de Deling et Youxiang dans le *China Times*.

JAPON

Jusqu'au XXe siècle. — Dès le IXe siècle, les *émaki-mono* enseignaient par des dessins les péchés aux gens illettrés. — XVe et XVIe siècles : *les sumi-é* racontaient des histoires populaires. — XVIIe siècle : Hishikawa créa les *oukiyo-é* (dessins que les gens pouvaient colorier). — XVIIIe siècle : évolution des estampes sous différents noms : *sumizuri-é, tan-é, ourushi-é, abuna-é*. — 1765 : *nishiki-é* (impression en couleurs). — 1781 : le réalisme apparaît dans les BD. — XIXe siècle : évolution des couleurs chimiques. —

1841 : les dessins érotiques sont censurés par le ministre Mizouno ; Wirgman, un Anglais appelé aussi « Wakuman », est considéré comme le pionnier des *manga* (BD).

Début XXᵉ siècle. — Séries de BD dans la presse quotidienne. — 1924 : *Les Voyages de Dango Kushisuke* (un « super-boy ») de Miyao. — 1929-1931 : *Yomiuri Sunday Manga* (qui eut du succès aussi bien auprès du public enfantin qu'adulte).

1930-1939. — 1932 : *Groupe du nouveau Manga* fondé par 18 dessinateurs (Yokoyama, Sugiura, Kondô...) qui étudièrent la BD américaine. — 1934 : *Tanku* de Sakamoto.

1939-1945. — BD de propagande. (Seul Iwamatsu, dessinateur prolétarien, fuit aux Etats-Unis et critiqua le militarisme japonais. Il publia sous le nom de Tarô Yajima, pour ne pas nuire à son fils resté au Japon.)

1945-1961. — 1946 : *Libéral*, BD d'actualités ; *Blondie* de Young dans *Shûkan Asahi* ; *Manga Club* et *Shonen* (pour enfants et adolescents). — 1948 : *Bôken Katsuguéki Bunko* (aventures et action) ; début des BD enfantines avec Tezuka. — 1950 : Shimada fonde l'association *Tokyo Jidô Manga* (BD pour enfants) ; Tezuka instaure la BD à épisodes. — 1951 : *Shôjo Book*, BD pour filles. — 1952 : succès des histoires de guerre en BD ; Tezuka publie *Prince Saphir* (qui deviendra un dessin animé). — 1955 : BD en édition de poche. — 1956 : la location des BD remporte un vif succès à Osaka ; *Shûkan Manga Times*, revue hebdomadaire pour adultes ; succès de *Superman*. — 1959 : *Manga Sunday*, nouvel hebdomadaire pour adultes ; on reproche la violence de certaines BD d'action.

1961-1970. — 1961 : retour réclamé de la violence dans la BD. — 1962 : procès contre une BD ; Convention des Mangaka (dessinateurs de BD). — 1964 : large diffusion d'autocollants de héros de BD. — 1965 : BD d'horreur d'Umezù. — 1966 : *Les Cahiers de l'Art* consacrent un numéro aux BD du monde entier ; succès des *guekiga* (BD adultes). — 1969 : la BD *underground* apparaît.

1970-1980. — 1970 : nombreux procès contre les BD à la demande des « commissions de bienfaisance pour l'enfant ». — Fin 1970 : Yamura, Ino, Maruo, Shigeru (ces artistes sont fascinés par les atmosphères morbides). — 1971 : *La Vie de Mao* de Fujiko, dans *Manga Sunday*. — 1972 : retour des BD occidentales. — 1974 : traduction de *Bianca* de Crépax. — 1975 *Candy* d'Igarashi et Misuki. — 1977 : l'examen d'entrée à l'Université de Hanazono comprend un thème sur la BD de Akiyama. — 1978 : feuilletons à la radio d'après des BD ; ouverture de la Bibliothèque de BD contemporaine.

1980-.... — *Shonen Jump* tire à 5 millions d'exemplaires par semaine. — 1982 : *Akira* d'Otomo. — 1987 : 1,68 milliard d'albums et revues (25 % de l'édition). — 1988 : 3 milliards de dollars par an de chiffre d'affaires et 80 % des ventes de périodiques ; vie du président de Sony, Morika, en BD. — 1991 : 2,1 milliards de BD ; *Shonen Magazine* : 2,6 millions d'ex. ; *Young Jump* : 2 millions d'ex. ; des BD pour enfants sont contestées pour pornographie. — 1993 : les éd. Kodansha passent commande à des Français : Cabanes, Baudouin, Baru...

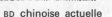

BD chinoise actuelle

© Syssoïev

4. **Les pays de l'Est.** — Les bouleversements politiques territoriaux actuels empêchent une vue nette des productions nationales que seule la Yougoslavie possédait. La BD polonaise connaît un certain essor depuis le début des années 70. La Roumanie la réserve aux enfants.

L'isolationnisme culturel de l'URSS a joué aussi contre la BD, accusée par les Russes de n'être que vice et corruption. Lorsque certains dessinateurs créent *Octobriana*, ils en font le support de leurs rêves politiques idéalistes et de leurs fantasmes sexuels (c'est la pin-up des magazines *sexy* du monde occidental dont les Russes furent privés !)[1]. Dans le n° 98 de *Métal Hurlant* (avril 1984), J.-P. Dionnet révèle que c'est un canular monté par les Anglais. Le mythe de la BD russe a attiré beaucoup de croyants tant le désir d'en voir était grand. A l'heure actuelle, tout bouge là-bas, ce qui permet d'espérer une ouverture dans le domaine de la BD (cf. *Cahiers de la BD,* n° 89). Dans un

1. Peter Sadecky, *Octobriana and the Russian Underground,* Harper and Row Publishers, 1971.

domaine voisin, la caricature, un de ses créateurs, Viatcheslav Syssoïev (*Silence, Hôpital*, éd. Le Scarabée et Co.) a été emprisonné pour avoir voulu rester « un artiste honnête » qui faisait tout « pour l'art libre russe »[1]. Les temps changent et la *Perestroïka* permet à *Mickey* de débarquer fin 90. En 1992 la République tchèque fête la BD au Salon de Prague.

POLOGNE

Jusqu'en 1930. — Milieu XIXe siècle : apparition de la BD. — 1859 : *Tygodnik Ilustrowany*, magazine illustré. — 1918 : introduction des BD suédoises de Jacobson.

1930-1945. — Années 30 : arrivée de revues françaises : *Semaine de Suzette, Bécassine, Journal de Mickey*. — Milieu des années 30 : BD polonaises de Makuszynski et Walentynowicz (*Cabri le Crétin* et *Le Petit Singe Fiki Miki*). — 1935 : l'hebdomadaire *Swiat Przygod* publie des artistes polonais anonymes. Au bout de 20 numéros, il édite *Mandrake* et *Brick Bradford*. — 1938 : la revue *Plomyk* rédigée par des instituteurs « de gauche » est censurée. — 1939-1945 : la guerre empêche toute création culturelle polonaise.

1945-1960. — Dès 1952 le magazine *Przekroz* publie des feuilletons dessinés.

1970-.... — 1970-1975 : BD à sujet sportif. — 1972 : satire sociale en BD dans *Szpilki*, revue de Toeplitz. — 1974 : renouveau avec Mleczko, Kruse, Czeczot, Goebel, Lutczyn, Dudziski... — 1975 : Rosinski et Wroblewski publient des séries sur l'histoire de l'aviation polonaise ou sur l'Etat polonais. — 1976 : *Relax*, mensuel dont le supplément sert à financer un Centre de Santé de l'Enfant (avec Christo, Rosinski et Wroblewski). — 1986 : *Funky Kovac* de Rodek et Parovski. — 1992 : Lycée René-Goscinny inauguré à Varsovie.

ROUMANIE

1930-1945. — Avant 1939, on importe des revues françaises (*L'Epatant, Le Journal de Mickey*). — *Covorul Fermecat* publie *Mandrake, Popeye, Tarzan, Mickey...*

1945-1960. — Vers les années 50, la Roumanie, sous l'influence culturelle de la Russie, se retrouve privée des BD étrangères (sauf *Vaillant* et *Pif Gadget* sous obédience du Parti communiste français) ; albums roumains à récits complets.

1. Journal *Le Monde*, 14 mai 1983.

1960-1970. — La BD reste toujours réservée aux enfants. — 1969 : *Tintin* et *Astérix* pénètrent en Roumanie dans la bibliothèque de l'Ambassade de France à Bucarest.
1970-.... — 1980 : *Peur*, publié par Arapu, réalisé par des Roumains mais pour un public de culture française. — 1993 : 1er Salon de BD au centre universitaire de Timisoara.

URSS/CEI

1960-1970. — 1960 : *Octobriana*, Barbarella russe, créature immortelle aux pouvoirs surnaturels acquis dans le cratère d'un volcan radio-actif, peut voyager librement, contrairement aux citoyens russes !
1970-1980. — Pas de BD car elles « corrompent la jeunesse ».
1980-.... — Collections sur les grandes figures et les grands événements de l'histoire en BD. — 1990 : *Mickey* arrive. — 1992 : 1re foire-expo de Moscou. — 1994 : *Tintin* arrive.

YOUGOSLAVIE

1930-1945. — 1935 : *La Fiancée de l'Epée* par Maurovic pour le journal *Oko*. — 1937 : *Le Vieux Chat* série western (la tentative de *come-back* en 1967 tourne à l'échec). — 1937-1945 : les BD sont très populaires et on ressent l'influence des dessinateurs américains (Cf. *Zigomar* de Kovajev qui rappelle le *Phantom*). — Début 40 : *Le Baron de Münchhausen* et *Le Magicien d'Oz* en BD par Lobachev.
1945-1960. — 1952 : Neugebauer quitte la Yougoslavie pour travailler en Allemagne pour Rolf Kauka (jusqu'en 1972) ; journaux de BD *Mika Mish, Mikijeve Novine*. — 1955 : *Plavi Vjesnik* publie à Zagreb des BD yougoslaves et étrangères avec Maurevic, Beker et Delach. — 1957 : *Herlock Sholmes*, parodie de Radilovic qui ne paraîtra dans *Plavi Vjesnik* qu'en 1966.
1970-1980. — 1973 : fin de *Plavi Vjesnik* qui ne contient plus que 2 pages. — 1979 : Radilovic produit une nouvelle série, en Hollande, pour le magazine *Eppo*.
1980-1990. — Kerac (*Cat Claw*), Pahec, Gera, Kordej, Zorica, Delic, Pavlovic marquent la décennie. — 1986 : exposition à Zagreb.

5. **Le Moyen-Orient.** — La production nationale reste faible. Cette fois le découpage est différent, non par les époques choisies mais par leur signification : à chaque étape correspond l'entrée d'un nouveau pays dans le monde de la BD. En outre le monde arabe tarde à s'ouvrir à la BD étrangère, par exemple *Tintin* n'apparaît en

Egypte qu'en 1972; c'est à la même époque que *Superman* et *Batman*, les super-héros américains, viennent surprendre, en arabe, la jeunesse libanaise. Quant à l'Arabie saoudite, elle ne s'intéresse vraiment à la BD qu'en 1973. Pendant longtemps la BD arabe ne s'est adressée qu'aux enfants.

Israël, après avoir adopté la BD américaine, essaie de créer peu à peu une BD qui corresponde à ses aspirations. Sa production nationale reste méconnue en France.

ÉGYPTE

1950. — *Sindabad*, pour enfants, s'arrête en 1957.

1953-1960. — *Samir* (revue composée de bandes arabes et étrangères traduites).

1965-1967. — 1967 : *Samir* envoie ses héros au front. (Les *Leçons de résistance populaire* de Wassi propagent un enseignement militaire destiné aux enfants.)

1972. — *Tintin* apparaît en arabe et son succès oblige *Samir* à augmenter sa publication de BD étrangères.

LIBAN

1965-1967. — 1965 : *Bissat El Rih*, magazine pour enfants (artistes : Bahiga et Kahil) qui dure jusqu'en 1968.

1972. — DC Comics vend ses droits à un éditeur libanais pour publier *Superman, Batman*, en arabe.

1973-.... — 1979 : *Samer*, illustré composé de BD arabes. — Début des années 80 : 35 revues de BD (avant la guerre civile); BD adultes dans les pages du dimanche du quotidien *An-Nahar*; premières recherches universitaires sur la BD. — 1981 : *Carnaval* de Jad traite de la guerre libanaise.

SYRIE

1953-1965. — *El Moudhk El Mabbki*, revue satirique, paraît de 1960 à 1964, date de son interdiction par le gouvernement.

1969-1970. — *Usamah*, revue éditée par le gouvernement, composée de bandes syriennes dues à Bahra, Ayyash..., et d'histoires étrangères (Pologne en particulier).

IRAK

1969-1970. — *Majallaty*, magazine édité par le gouvernement (avec Giad, Gabbouri...).

1973. — *Tabbat Sharran*, premier *comics* en arabe, publié en Italie et en France et dessiné par El Khnefer (s'arrête en 1975). Labbad (Egyptien), Khnefer (Saoudien) et Sawwaf (Libanais) créent *Tosh Fish*, revue de BD arabe.

6. **L'Afrique.** — Les auteurs européens donnent souvent une image caricaturale de l'Afrique, parfois à la limite du racisme (parmi les albums critiqués : *Tintin au Congo, Zig et Puce* et *Bernard Prince*). Manquant de support et de formation, la BD africaine est très peu développée. Les quelques productions diffusées dans les journaux locaux ne sont pas le fait de professionnels car il y a très peu de dessinateurs spécialisés. Cependant certains artistes ont réussi à s'imposer : le Zaïrois Cissé, élève d'Hergé *(Les Aventures de Mata Mata et Pili Pili)*, Barly Baruti (organisateur du premier festival zaïrois de BD à Kinshasa en juillet 1991), le Kényan Frank Odoit.... En 1993 le premier salon guadeloupéen a lieu à Pointe-à-Pitre. La majorité des BD dans les journaux sont américaines (*Fraternité-Matin* en Côte-d'Ivoire ne publie que sept BD locales mais faites par des Européens). La première BD historique africaine est parue dans un journal

Sour-Rahmani, *Incuse*
© Sour-Rahmani

Kamel Souici
© Kamel Souici

féminin et est due à des artistes français : Saint-Michel et Dufossé. Beaucoup de dessinateurs français prennent un pseudonyme à résonance africaine. Si l'humour est un « dérivatif à l'ennui ou à la crise », la BD n'ignore pas les problèmes sociaux et politiques (*Aziz le reporter* du Sénégalais Fall). La BD de science-fiction y est presque inconnue, tout comme la BD enfantine.

En ce qui concerne l'Afrique du Nord, Slim retrace avec humour la vie sociale d'Alger : *Zid-Ya-Bouzid*, et Melouah se partage entre le dessin de presse et la BD. De jeunes dessinateurs de presse s'essaient à la BD avec talent : Sour-Rahmani, Abbas, Assari, Ait Hammoudi, Berber... Deux festivals sont nés, à Bordj El Kiffan et à Alger.

Chapitre II

ÉLABORATION
D'UNE BANDE DESSINÉE

I. — De l'individu à l'équipe

La conception d'une BD demande de combiner trois éléments : — une histoire racontée par une suite d'images ; — un personnage central ou un groupe de personnages ; — un texte ou des dialogues compris à l'intérieur des dessins (le plus souvent sous forme de « bulles » sortant de la bouche des protagonistes mais cela n'est pas obligatoire. Cf. Bretécher). C'est l'interdépendance du texte et de l'illustration qui donne aux BD leur caractéristique la plus spécifique. L'habileté du créateur ressort dans le gag, le suspense final, l'histoire elle-même, les personnages, le graphisme et le dialogue. Différents « ingrédients » entrent dans la composition d'une bande dessinée : le scénario, les dessins, le montage des vignettes. Selon le style de BD et le pays concerné, ces étapes sont franchies par la même personne, par un studio de dessinateurs sous la direction du scénariste et de l'artiste qui signent l'ouvrage (cf. Hergé...) ou encore par une équipe où chacun a un travail défini (cf. les Etats-Unis et la Chine).

1. **Le travail individuel.** — La BD caustique, véritable critique socio-politique, que certains « humoristes » destinent aux adolescents et adultes (mais certes pas aux enfants), est généralement due à un seul artiste. Ainsi, à Angoulême en 1983, Claire Bretécher explique qu'elle travaille à base d'anecdotes, d'émissions télévisées, mais se défend surtout de puiser ses situations et personnages dans des analyses psychanalytiques ; elle se met à son bureau trois heures avant de rendre son dessin : « J'écris mes dialogues, après je fais mes carrés, et je passe beaucoup de temps pour que ça ait l'air spontané » (*Le Monde*, 22 avril 1975). Quant à l'ab-

sence de décor dans ses planches, elle affirme ne pas savoir les dessiner. A l'opposé, Druillet, avec son style baroque, passe environ un an et demi sur un album ; il précise sa conception de la BD de science-fiction : « On vit dans un monde qui est le nôtre, et on le transpose, on le décode, dans l'univers du graphisme et de la bande dessinée, et la BD est devenue complètement adulte maintenant, totalement puisqu'on s'attaque à des thèmes qu'avant seuls la littérature ou le cinéma osaient aborder... moi par exemple je fais de la science-fiction et la science-fiction c'est un reflet de l'actualité, c'est à nous de dénoncer ce qui se passe, ce qu'on voit et de le projeter dans le futur et aussi d'apporter des solutions... nous les auteurs, on est le reflet de ce que nous recevons et on l'envoie aux autres, c'est l'univers de communication entre le lecteur, le monde, la réalité et le fantasme de l'auteur. »

Druillet est non seulement un dessinateur et un scénariste de BD mais également un peintre, un aquarelliste et un sculpteur. Il est l'auteur de l'affiche du film *La Guerre du Feu* (Tardi a réalisé celle de *Et vogue le navire...* de Fellini, Margerin celle de *La Smala*, Bilal celle de *Strictement Personnel*, Rousseau celle du théâtre Messidor de Montreuil en 1992).

2. **Le travail en studio.** — Hergé a commencé à dessiner seul (11 albums) et l'idée de travailler en studio n'a pas été prise du jour au lendemain, il y a été amené petit à petit. Pendant la guerre, la pénurie de papier entraînant Casterman à réduire le nombre de pages des albums, l'éditeur songea pour compenser à introduire la couleur. Hergé prit alors une collaboratrice, puis Edgar Jacobs (en 1943) et d'autres dessinateurs (parmi eux Bob de Moor, Paul Cuvelier, Roger Leloup, Jacques Martin...). Finalement, en 1950, était constituée la société anonyme « Studios Hergé ». A Numa Sadoul (*Entretiens avec Hergé*, Casterman, 1975, rééd. 1989), Hergé expliqua sa façon de procéder : « Au départ, il y a presque toujours une idée très simple, souvent une espèce de match-poursuite... En partant de cette idée, je compose le scénario que je teste autour de moi. J'ai parfois essayé de travailler avec des scénaristes, mais je me sentais gêné aux entournures car un scénario évolue toujours en cours de travail et je n'aime pas devoir

me plier à quelque chose de rigide... Après avoir écrit un synopsis de deux ou trois pages... j'effectue mon découpage sur de petites feuilles où je griffonne des croquis. » L'histoire enfin découpée en planches et en séquences, il les recopiait à l'aide d'un calque, n'en retenait que l'essentiel et transmettait alors ces feuilles à ses collaborateurs qui habillaient les personnages, brossaient les décors et évaluaient l'espace nécessaire aux bulles. La réalisation d'un album de *Tintin* demandait un travail minimum de deux ans et une documentation dense et précise. Hergé, pour ce faire, s'appuyait sur des reportages photographiques, des ouvrages ethnologiques, différents traités scientifiques... Lorsqu'il inventait un pays (comme la Syldavie dans les Balkans ou San-Theodoros en Amérique latine), il s'arrangeait pour qu'une abondance de détails réalistes rende l'histoire crédible : « Je lui prête une histoire, une économie, un langage, une constitution, un folklore. » Hergé est mort le 3 mars 1983 et, le 25 janvier 1984, la veuve de Georges Remi annonçait qu'il n'y aurait plus d'autres *Tintin*. Hergé avait prévu cette hypothèse : « C'est peut-être prétentieux de le dire, mais, si mes collaborateurs, graphiquement, sont capables de les dessiner, je pense être le seul à pouvoir donner vie à mes personnages. Tintin ne peut vivre que par moi. »

3. **Le travail en équipe.** — Le studio ne peut se justifier qu'en cas de série très célèbre. Le plus souvent, il y a seulement travail en équipe d'un scénariste et d'un dessinateur. Certains se permettent de multiples retouches réciproques. Cette double paternité pose des problèmes en cas de « divorce » des créateurs. Ainsi les tribunaux ont jugé que *Rahan* appartenait aussi bien à son père graphique Chéret qu'à son père narratif Lecureux.

Ce problème ne se pose pas en Chine : les Chinois travaillent en équipe pour éviter qu'un héros ou une histoire appartiennent à un seul individu ; l'accès au vedettariat, tel qu'il est perçu en Europe ou en Amérique, est absolument incompatible avec la politique de ce pays. Si le système de travail en équipe est pratiqué également aux Etats-Unis, le but poursuivi est bien différent ; les artistes se partagent les tâches en fonction des compétences respectives. De plus, chacun bénéficie d'une certaine liberté d'interprétation qui lui permet de laisser son empreinte (ce qui amène certains dessinateurs américains à atteindre des cotes impressionnantes, et ce, parfois, dès la reprise d'un personnage, par exemple Frank Miller pour *Daredevil* — à partir du n° 158... — et Walter Simonson pour *The Mighty Thor* — à partir du n° 337...).

Miller qui, très tôt, a connu le succès de part et d'autre de l'Atlantique, reconnaît l'apport de Bilal, Mézières, et surtout Moebius : « J'ai commencé à les feuilleter (les albums français), et j'ai été frappé. En effet, qui pourrait regarder *Valérian* ou l'œuvre de Moebius et ne pas être influencé, spécialement quand vous faites de la science-fiction. »

Au départ se trouve le scénariste (lire *Les Cahiers de la BD* n° 81 où B. Peeters et A. Moore exposent deux approches du scénario, de nature différente) qui a découpé, par écrit, l'histoire en planches à l'intérieur desquelles il indique au dessinateur la façon dont il conçoit le cadrage des personnages et le décor de l'action ainsi que le montage.

Prenons comme exemple deux scénarios de BD américaine de super-héros, l'un de Marvel, l'autre de DC.

Exemple 1 : *Daredevil*, n° 126, juin 1975 ; *scénariste :* Marv Wolfman ; *dessinateur :* Bob Brown ; « *panel* » 4 : au milieu de la description le premier s'adresse directement au second : « Bob, arrange-toi pour que sur cette vignette ou dans les précédentes on voie une horloge indiquer 5 h 30, place la peut-être sur le côté de l'immeuble. »

Daredevil, n° 126, © Marvel Comics

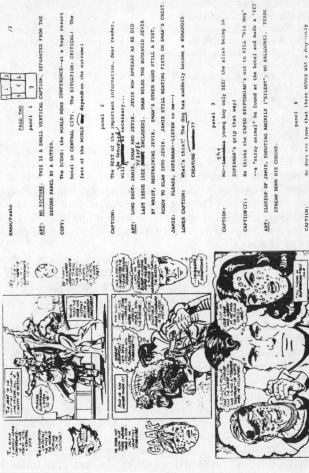

SHAN/Pasko

PAGE TWO

/2

panel 1

ART: NO PICTURE. THIS IS A SMALL VERTICAL CAPTION, SEPARATED FROM THE SECOND PANEL BY A GUTTER.

COPY: The SCENE: the WORLD NEWS CONFERENCE--at a huge resort hotel in CENTRAL CITY. The SITUATION: CRITICAL! The fate of the WORLD ~~may~~ depends on the outcome!

panel 2

CAPTION: The REST of the important information, dear reader, will be conveyed is necessary...

ART: LONG SHOT: JAMIE, SHAN AND JEVIK. JEVIK NOW APPEARS AS HE DID LAST ISSUE (SEE ~~SHOT~~ ENCLOSED). SHAN HOLDS THE HUMANOID JEVIK BY WRIST, RESTRAINING JEVIK. SHAN'S OTHER HAND STILL A FIST. READY TO SLAM INTO JEVIK. JAMIE STILL BEATING FISTS ON SHAN'S CHEST.

JAMIE: PLEASE, SUPERMAN--LISTEN to me--!

LOWER CAPTION: What's this?! The dog has suddenly become a HUMANOID CREATURE ~~monster~~??

panel 3

CAPTION: The NO--~~because~~ the young boy only SEES the alien being in SUPERMAN's grip that way!

CAPTION(2): He thinks the CAPED KRYPTONIAN's out to KILL "his dog" --a "stray animal" he found at the hotel and made a "PET"

ART: CLOSEUP OF JAMIE, SHOUTING ANGRILY ("SILENT"; NO BALLOONS). TEARS STREAM DOWN HIS CHEEKS.

panel 4

CAPTION: He does not know that there NEVER WAS a dog--only

Exemple 2 : *Superman*, n° 314, août 1977 ; *scénariste :* Martin Pasko ; *dessinateurs :* Curt Swan et Dan Adkins ; *coloriste :* Jerry Serpe. Dans ce plan de travail Pasko, pour obtenir la pagination désirée, a dessiné un croquis en haut de la page, disposant ainsi les tableaux selon son gré, cf. p. 55.

Par ailleurs, le souci de réalisme pousse scénaristes et dessinateurs à préciser l'endroit où se passe l'action. Très souvent le premier connaissant bien le second choisit un décor familier à ce dernier. Ainsi Bob Brown, qui habitait au 110 57th Street à New York, recevait des scénarios plaçant le récit près de la 57e Rue et de la Sixième Avenue, juste en bas de chez lui : « Il traverse la page de gauche à droite, croisant les immeubles vides entre la 56e et la 57e Rue et la 6e Avenue. » De nombreux détails aident le lecteur à localiser l'aventure.

1985 marque en France la reconnaissance du métier de scénariste avec l'exposition Goscinny à la Tour Eiffel en septembre et l'annonce par Mme Goscinny d'un prix à Angoulême destiné à récompenser et à publier le meilleur scénariste amateur. Distribution irrégulière.

Participent également à la réalisation d'une BD :

— *Le lettreur :* il veille à ce que le texte ne couvre pas l'image et reste lisible.

— *L'encreur :* certains fans affirment reconnaître d'un seul coup d'œil la façon d'encrer de telle ou telle personne et jugent sévèrement le travail. Le rôle de l'encreur est déterminant pour le résultat final. Il est lui-même un artiste : il peut embellir un dessin médiocre ou enlever tout attrait à un ouvrage de qualité. Il ne faut surtout pas oublier que le dessin original sera obligatoirement réduit (les dessinateurs travaillent toujours sur une planche grand format, ce qui leur permet de réaliser plus facilement les détails) : ainsi un rectangle initialement de 19 cm sur 9,5 cm ne fera plus que 11,5 cm sur 5,5 cm lorsqu'il paraîtra en album. A partir de l'exemple proposé par Stan Lee et John Buscema dans *How to Draw Comics the Marvel Way* (NY, Simon and Schuster, 1978), on comprend facilement l'importance de l'encrage. Comparons trois vignettes réduites telles qu'elles doivent apparaître dans le *comic book* (cf. p. 57). *Première version :* il n'y a pas assez de variété dans les lignes. Elles ont toutes le même aspect. Les personnages se confondent avec le

Version 1

Version 2

Version 3
© Marvel Comics

décor. *Deuxième version :* ici les taches noires sont trop nombreuses. Il y a trop de traits et là encore les personnages sont fondus dans la scène. Le coloriste aura du mal à accomplir son travail. *Troisième version :* différentes épaisseurs de traits permettent de distinguer les personnages. Les taches noires sont sciemment utilisées. Un bon encrage doit rendre la scène compréhensible d'un seul coup d'œil, quelle que soit la richesse des détails.

Les dessinateurs regrettent souvent de ne pas avoir le temps de faire aboutir leurs dessins. Bob Brown, qui travailla pour les deux grandes compagnies américaines DC et Marvel *(Challenge of the Unknown, Batman, Les Fantastiques, Superman, Daredevil)* souffrait souvent du travail de l'encreur et en fit un jour la remarque à Stan Lee (rédacteur en chef de Marvel) : « Je lui ai dit comment il m'arrive de recommencer jusqu'à six fois un visage, pour y imprimer l'expression d'un sentiment, et comment après l'avoir revu, passé par l'encrage, je le constate complètement détruit, au point de ne plus même le reconnaître. » (E. Leguèbe, *Voyage en Cartoonland*, Serg, 1977).

— *Le coloriste :* les couleurs ont un rôle à part entière, le choix intervient en fonction de l'effet recherché :

— beaucoup de bleu foncé, de vert et de gris laissent supposer une ambiance mystérieuse (cf. Druillet) ;
— une abondance de couleurs chaudes peut signifier que quelque chose de désagréable va arriver (brun, ocre) ;
— la représentation d'une bagarre ou d'une scène passionnelle nécessitent des tons orangés ou même l'utilisation franche du rouge ; — le calme et le romantisme réclameront naturellement des teintes pastel.

Certains dessinateurs surveillent de près le travail des coloristes pour ne pas se sentir trahis. Jacques Martin *(Alix)* s'est ainsi parfois plaint d'une coloriste dont la palette était « trop rouge ». (Voir *Les Cahiers de la BD*, n° 60).

II. — **La technique narrative :**
le mouvement dans l'immobilité

Différents éléments interviennent pour rendre « vivante » l'action représentée sur les planches : une fois le scénario écrit et découpé en vignettes, le dessinateur devient un réalisateur, il lui faut alors choisir des plans et des angles de vue concrétisant les situations; il doit figurer le mouvement par divers effets optiques; il s'aide souvent de symboles et d'onomatopées qui permettent au lecteur de saisir rapidement les sentiments des personnages et les effets « sonores ».

1. **Les plans.** — La première image représente généralement un *plan d'ensemble*: celui-ci montre un large spectacle et correspond à la présentation du lieu de l'action. Au cours du récit on retrouvera quelquefois des *plans de demi-ensemble* destinés à résumer les données de la scène (cela se produit particulièrement pour les histoires à épisodes) ou à introduire les personnages. Dans le cas d'un scénario impliquant un décor particulièrement dense en détails, on aura plusieurs plans d'ensemble avec différents angles de vue de manière à survoler complètement la scène. Après la présentation des personnages, ces derniers apparaissent dans des *plans moyens*. En général plusieurs personnages sont visibles en pied dans ces

Hergé, *Tintin et Lotus Bleu*
© Casterman
1. Plan d'ensemble ; 2. Plan de demi-ensemble ; 3. Plan moyen ; 4. Plan américain ; 5. Plan rapproché ; 6. Gros plan.

plans et le décor est encore très présent. Lorsque la situation devient plus précise, les personnages, cadrés à mi-taille, se rapprochent du lecteur, l'invitant presque à participer à l'action, d'où le nom de *plan rapproché*. Il existe un plan intermédiaire où les personnages sont coupés aux genoux : *le plan américain*. Mais un *gros plan* est nécessaire pour mettre l'accent sur les sentiments exprimés par les héros ou pour attirer l'attention sur un détail significatif du décor. Enfin, les artistes se servent du *très gros plan* pour souligner un détail : le regard fait fréquemment l'objet de ce plan, les détails du décor, lorsqu'ils expliquent l'action des personnages ou intensifient un moment dramatique ou comique, bénéficient du même traitement. Ce gros plan peut être superposé sur un plan d'ensemble (ou de demi-ensemble) pour donner une impression de relief. Cette succession de plans correspond au déroulement de l'action, à sa progression. Si le dessinateur désire augmenter l'impact dramatique d'un moment clé, il lui faut « jouer » avec les plans, par exemple : présenter un plan d'ensemble et passer immédiatement à un gros plan. Il existe bien sûr de nombreuses définitions des divers plans. Certains auteurs distinguent seulement cinq ou six plans.

2. **Les angles de vue.** — Les plans ne suffisent pas à varier la façon dont sont présentées les scènes et l'artiste « filme » sous des angles de vue variés : — l'angle de vue classique : le lecteur se trouve en quelque sorte face aux personnages ; — l'angle oblique place le point de fuite hors de l'image, sur le côté ; — la vue en plongée fait survoler la scène ; son avantage évident est de « balayer » d'un seul coup d'œil l'emplacement et l'action des personnages à l'intérieur du décor, il peut exprimer la faiblesse de ces derniers dominés par le point de vue ; — la vue en contre-plongée : le lecteur a l'impression d'être dominé par les personnages, elle permet, par exemple, de les rendre menaçants ; — le « contre-champ » succédant à une vignette « plein champ » : la même scène vue, par exemple, de face puis de dos ou l'inverse pour créer un effet de surprise.

Les dessinateurs de Marvel (publiés en France, en majeure partie, chez Sémic) ont vite cerné l'intérêt d'utiliser leur crayon comme une caméra, Stan Lee pense qu'il existe une façon Marvel de dessiner. Avec l'aide de John Buscema, il démontre que, sur un même scénario, Marvel fera mieux. Will Eisner, lui, enseigne la compréhension et la pratique de la BD dans *Comics and Sequential Art* (Eclipse, 1985).

Fig. 1. — *Première version :* l'homme au cigare désigne quelque chose. *Deuxième version :* la position rigide de son bras et l'air penaud du jeune homme (jambes écartées, bras derrière le dos et tête inclinée), renforcés par le fait que l'homme au cigare soit au premier plan, sous-entendent que l'objet indiqué est la porte.

Fig. 2. — *Première version :* les deux hommes sont au centre de l'image. Rien n'indique ce qu'ils sont en train de se dire ni le ton de leur conversation. *Deuxième version :* l'homme au cigare essaie de faire comprendre quelque chose au jeune homme sur un ton sans doute autoritaire (situation de supériorité : il domine le jeune homme qui est appuyé sur le bureau).

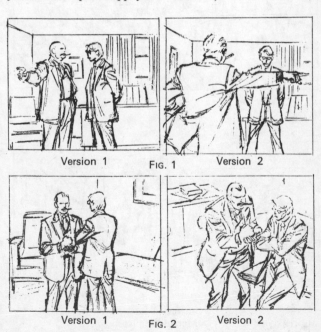

Version 1   Fig. 1   Version 2

Version 1   Fig. 2   Version 2

Fig. 3. — *Première version* : cf. fig. 2, les deux personnages tiennent chacun la moitié du dessin. *Deuxième version :* l'homme rallume son cigare pour laisser à son interlocuteur le temps de trouver une réponse. Il est présenté en plan rapproché tandis que le jeune homme est en gros plan. On attend donc la décision de ce dernier.

Fig. 4. — *Première version :* le jeune homme est dans l'encadrement de la porte. Sans les vignettes précédentes, on ne saurait s'il entre ou s'il sort. Aucune idée de mouvement n'est suggérée. *Deuxième version :* en très gros plan la main et le cigare du personnage le plus fort. L'autre a perdu, un plan rapproché le montre de dos dans l'embrasure de la porte (s'il est de dos, c'est donc qu'il part !).

Version 1   Version 2

Fig. 3

Version 1   Version 2

Fig. 4
© Marvel Comics

3. « Animation » d'une BD. — Après avoir situé le décor et placé les personnages il faut donner vie à la scène. Trois éléments interviennent alors : le mouvement, les pensées des sujets et le fond sonore.

A) *Le mouvement.* — Grâce à un certain nombre de procédés, le dessinateur réussit à donner l'impression que l'image est réellement animée. Le premier « trucage » résulte de l'étude approfondie des multiples positions qu'un personnage peut adopter, mais cela ne suffit pas toujours à rendre l'idée de mouvement. Il existe diverses méthodes :

— La plus simple consiste à suggérer le déplacement en dessinant un certain nombre de traits continus (par exemple : lorsqu'un personnage reçoit un coup, la trajectoire est indiquée sous forme de traînée graphique bien que l'impact du coup soit effectivement représenté) ou un seul trait plein ou en pointillé (par exemple : la trajectoire[1] d'un rayon laser) (fig. 1).

— Des éléments censés former un tout se retrouvent soudain dispersés (par exemple : lorsque le shérif[2] reçoit une pierre au visage, celle-ci le déséquilibre et éparpille l'entité du début : le shérif, une dent, sa béquille, ses plâtres) (fig. 2).

— Certains objets, témoins de la position précédente du personnage, sont visibles sur la vignette mais leur possesseur n'y est plus rattaché (par exemple : l'entraîneur demande à Astérix[3] de le frapper. Le Gaulois s'exécute et la vignette suivante montre deux mouvements : le coup de poing du Gaulois, représenté par une traînée, et l'envol de l'instructeur, concrétisé par la présence des sandales au sol et deux dents dans une bulle étoilée, signes qu'il était encore là il y a à peine un instant) (fig. 3).

— Les mouvements successifs d'un visage ou d'un corps coexistent sur la même vignette. Il peut s'agir d'un trait léger qui simule la rapidité par son imprécision (par

---

1. Gillon, *La survivante*, t. 2, Albin Michel.
2. Turk et de Groot, *Robin Dubois*, Lombard.
3. Uderzo et Goscinny, *Astérix gladiateur*, Dargaud.

1. © Albin Michel

2. © Lombard

3. © Dargaud

4. © Dargaud

5. © Dupuis

6. © Dupuis

7. © Marvel

exemple : Achille Talon[1] est agité par un hoquet incessant et avance par à-coups) (fig. 4) ou de la « cohabitation » sur la même vignette de deux attitudes distinctes (par exemple : lorsque le chien Rantanplan[2] ne sait plus « où donner de la tête », ayant quatre Dalton à sa droite et quatre Dalton à sa gauche, le dessinateur Morris en fait un chien à deux têtes (fig. 5), on comprend que Rantanplan regarde, ahuri, de droite à gauche et que c'est un mouvement à répétition) ou encore de la représentation multiple d'une seule partie du corps (par exemple : lorsque Prunelle[3] se retrouve dans les airs, accroché au toit de la voiture de Gaston Lagaffe, on ne voit qu'un seul corps mais plusieurs jambes et chaussures) (fig. 6).

— Les Américains utilisent parfois la décomposition du mouvement en plusieurs vignettes très étroites (Frank Miller pour *Daredevil,* fig. 7, ou Neal Adams).

B) *Les pensées des sujets.* — En général elles s'inscrivent dans des bulles différentes des bulles classiques, soit par leur forme (elles ressemblent à un nuage), soit par leur rattachement aux personnages (la bulle est fermée et des petites bulles semblent s'échapper de la tête du sujet). Mais ce n'est pas une règle et de nombreux symboles destinés à concrétiser les pensées sont contenus dans les bulles habituelles. Duc[4] a élaboré un *Petit Dictionnaire des symboles et graffitis utilisés dans la BD :* — *symboles évoquant la perplexité ou la surprise :* ? ou ! (fig. 1 : *La Quête de l'oiseau du temps,* de Loisel et Le Tendre) ; — *symboles d'agressivité :* tête de mort, image traversée d'un éclair, paquet de dynamite, arme à feu, croix gammée, bombe prête à exploser, bouteille de poison... (fig. 2 : *Achille Talon persiste et signe,* de Greg) ; — *symboles d'évasion :* si le personnage est en prison : barreaux sciés ; si au contraire il est libre, il pensera au soleil, à une oasis, à un hamac... (fig. 3 : *Gaston Lagaffe,* n° 14, de Franquin) ; — *symboles de bonheur :* cloches,

1 Greg, *Achille Talon persiste et signe*, Dargaud.
2. Morris et Goscinny, *Les Dalton se rachètent*, Dupuis.
3. Franquin, *Gaston Lagaffe*, n° 14, Dupuis.
4. *L'Art de la BD*, Glénat, t. I, 1982.

65

1. © Dargaud

2. © Dargaud

3. © Dupuis

4. © Binet, Audie

5. © Walt Disney

6. © Dargaud

7. © KFS Opera Mundi

8. © Boatner Norton Press

fleurs, notes de musique... (fig. 4 : *Les Bidochon*, t. 5, de Binet) ; — *symboles de malheur :* barreaux de prison... (fig. 5 : *Mickey*) ; — *symboles sentimentaux :* cœur entier ou brisé (selon la circonstance), Cupidon et son arc... (fig. 6 : *Cellulite*, de Bretécher) ; — *symboles de sommeil :* scie coupant une bûche (fig. 7 : *Pim, Pam, Poum*) ; — *idée lumineuse :* ampoule allumée... (fig. 8 : *Crumb*).

L'expression graphique de ces symboles est plus ou moins internationale.

C) *Le fond sonore.* — Il est concrétisé par les onomatopées : « mots dont le son imite celui de l'objet qu'ils représentent » (cf. *Larousse classique*). Malgré l'emprunt important fait dans ce domaine au vocabulaire américain, le français possède ses propres onomatopées. On peut les ranger en deux catégories : celles que l'on ne peut pas prononcer par manque de voyelles ou par le nombre excessif de consonnes : exemple : SPLT OU BRLOP (*Achille Talon persiste et signe*, de Greg), et les autres ; parmi celles-ci on peut effectuer une nouvelle classification :

Bruits	Sonores	Sourds
Secs	BONG (fig. 1 : *Ici-même*, de Tardi et Forest)	CRAC (fig. 2 : *Bernard Lermite, plus lourd que l'air,* de Veyron)
Mats	BAM (fig. 3 : *On ne connaît pas notre bonheur,* de Wolinski)	KRASH (fig. 4 : *Ranxerox* 2, de Liberatore et Tamburini)
Flasques	BLAM (fig. 5 : *Partie de chasse,* de Bilal et Christin)	PLOUF (fig. 6 : *Le Sortilège du bois des Brumes,* de Bourgeon)
Cristallins	DRING (fig. 7 : *Paulette,* 1, de Pichard et Wolinski)	TIC (fig. 8 : *Benoît Brisefer,* n° 1, de Peyo)

4. **Difficultés dues à l'adaptation des BD étrangères.** — Le problème se pose dans les deux sens : quelle que soit la direction dans laquelle la frontière est franchie, les censeurs interviennent.

1.© Casterman

2. © Albin Michel

6. © Casterman

3. © Dargaud

4. © Albin Michel

5. © Dargaud

7. © Dargaud

8. © Dupuis

Daredevil, n° 113, © Marvel

Strange, n° 110, © Marvel-(Lug) Semic

A) *BD étrangères traduites en français : exemple des BD de super-héros.* — Ainsi les traînées suggérant le mouvement sont supprimées, toute violence est éliminée du dessin et le lecteur ne comprend pas exactement pourquoi le personnage est plié en deux et pousse un cri puisque rien n'indique qu'il a été touché. La seconde vignette a été purement et simplement changée : il ne s'y passe rien de spécial ! (cf. p. 69).

B) *BD françaises (ou belges) adaptées à l'étranger : exemple de la BD franco-belge « Lucky Luke ».* — Morris, créateur de Lucky Luke, s'est souvent vu reprocher la cigarette de son héros par certains pays comme l'Angleterre et la Scandinavie qui estiment que c'est un très mauvais exemple pour la jeunesse. C'est pourquoi il l'a supprimée dans son album *Fingers* (lui qui résistait depuis 1978 aux demandes du Comité National contre le

AVANT. © Dargaud.   APRÈS. © Dargaud.

Tabagisme !). Les problèmes ont surgi surtout au moment d'animer les personnages de cette série pour un film réalisé aux Etats-Unis. Les Américains souhaitaient ôter son revolver à Lucky Luke alors que, d'une part, un cow-boy sans revolver n'est pas crédible et que, d'autre part, il n'a jamais tiré sur qui que ce soit de vivant, il a donc gardé son arme. Mais c'est particulièrement sur le plan racial (« on ne peut présenter un groupe minoritaire ou racial de manière négative ») qu'ils ont été intraitables : les Indiens n'ont plus le droit de parler « petit nègre », les Chinois n'exercent plus l'honorable métier de blanchisseur (alors que « cela correspond à la réalité de l'époque », précise Morris), les Mexicains ne s'endorment plus sous le soleil et les Noirs n'occupent plus des fonctions de domestique.

Le miracle de la BD est que cette œuvre, résultant de plusieurs volontés, de contraintes, de modifications, soit perçue par le lecteur comme un ensemble parfaitement cohérent.

Chapitre III

LA BANDE DESSINÉE
DANS L'EXERCICE
DE SES FONCTIONS

La bande dessinée propose des situations privilégiées en relation avec les mythes. Les thèmes exploités sont quelque peu semblables à ceux du cinéma : on y trouve l'amour, la jalousie, la vengeance (exemple : BD de western), la science-fiction (qui peut être approchée sous de nombreux aspects : les BD de super-héros, les BD futuristes présentant des soucoupes volantes ou des extraterrestres, et même certaines aventures de Tintin, par exemple *On a marché sur la Lune*)... La résolution du « conflictuel » est un vaste champ de recherche que l'on ne peut aborder ici.

I. — Pourquoi lit-on des bandes dessinées ?

1. **Détente et bande dessinée.** — Les motivations de l'enfant et de l'adulte sont différentes. Pour l'enfant, l'image permet de comprendre d'un seul coup d'œil une situation qu'un récit purement verbal ferait paraître compliquée. Le langage qui accompagne la représentation picturale est volontairement simplifié pour privilégier l'image, d'une part, et permettre à l'enfant de saisir l'essentiel, d'autre part. *Achille Talon* (de Greg) est exceptionnel par la longueur de ses réflexions « philosophiques » et certains adultes avouent eux-mêmes ne pas toujours aller jusqu'au bout de ses nombreuses tirades ; les enfants sont-ils plus perspicaces ? Qui sait...

S. Saint-Michel (*Le français et la bande dessinée*) remarque :
« ... on ne fait pas lire aux enfants des choses comme *Robinson Crusoë* ou *Le Petit Prince*, qui ont un vocabulaire très compliqué et n'ont jamais été conçus pour eux ! »

2. **BD : chemin de la facilité ?** — A) *Avant l'apprentissage de la lecture*. — Lorsque les bandes dessinées interviennent dans la vie de l'enfant à ce moment-là, elles jouent un rôle conséquent dans la formation de son esprit. Elles développent l'attention et la rapidité d'observation chez l'enfant fasciné par l'image. Les tout-petits utilisent les dessins comme un schéma directeur sur lequel ils laissent courir leur imagination. L'enfant s'identifie au personnage et entre dans l'histoire sans qu'on la lui raconte, il y a accès *directement* et *à n'importe quel moment* : la BD favorise son indépendance vis-à-vis de l'adulte.

B) *Lors de l'apprentissage de la lecture*. — Les BD ont alors un rôle charnière, elles représentent une transition entre la petite enfance et le monde scolaire. L'enfant se sent en sécurité dans cet univers, il s'y plonge de lui-même. L'apprentissage de la lecture lui est imposé (ce qui n'implique absolument pas que l'enfant n'y prenne pas plaisir !) et ne témoigne pas d'une démarche personnelle ; on lui demande de faire un effort d'imagination avec pour seul fil directeur des lettres alignées les unes à côté des autres ; l'adulte intervient en lui montrant comment comprendre ces signes. Les rédacteurs de manuels scolaires et surtout les éducateurs ont enfin saisi l'intérêt pédagogique de la BD : c'est le passage du concret — l'image — à l'abstrait — les lettres.

3. **BD - Livre : sont-ils concurrents ?** — Le débat qui oppose les « pour » et les « contre » a souvent pour thèmes : « Le livre nécessite de la part du lecteur un effort soutenu... Le lecteur de BD devient paresseux... C'est cela qui manque à la BD : les mots. Lire une BD ce n'est pas lire, c'est regarder les images... Pour connaître les règles de grammaire élémentaires et posséder une bonne orthographe, il faut lire. Il est évident que la BD ne présente pas un texte assez fourni pour que les élèves fassent des progrès... » Ph. Bouvard

écrit dans *Le Figaro Magazine* du 15 février 1986 (p. 105) :
« La BD est à la littérature ce que le cri primal est au langage
articulé... » *(sic)*. Dans *Livre Hebdo* (20 sept. 1991),
P. Poivre d'Arvor affirme qu' « il y a une vraie crise de la
lecture. La culture d'aujourd'hui est passive, c'est celle du
zapping et de la BD... phénomènes qui imprègnent la culture
des jeunes. Comment iraient-ils vers un vrai livre ? » *(re-
sic)*. Dans l'*EDJ* (26 nov. 1992, p. 110) H. Bonnier
déclare : « La BD, ce sous-produit littéraire... » *(re-re-sic)*.
A ces jugements, on peut opposer les arguments d'Uderzo
(Astérix) : « Si un enfant a vraiment le goût de la lecture, ce
n'est pas ça qui l'empêchera de lire », et de Jijé *(Jerry
Spring)* : « S'ils ne veulent pas lire, ils ne liront jamais quoi
qu'on fasse. » Peut-être y seront-ils incités en voyant Baudoin illustrer Le Clézio, Tardi Céline, Juillard Faulkner...
(Gallimard-Futuropolis). Pratt a suivi l'exemple inverse et
s'est inspiré de sa BD *El Gaucho* (dess. Manara) pour son
roman *Vent de terre lointaine* (Robert Laffont). Un enfant
qui a été initié à la lecture à travers les BD sera naturellement
prédisposé à s'intéresser aux livres. De plus il existe des
romans-BD, *L'Homme à la fenêtre* de Mattotti et Ambrosi
(Alb. Michel), *Le Filet de Saint-Pierre* d'Autheman (Glénat). Parfois le passage de la forme imagée à la forme écrite
s'effectue peu aisément : l'enfant refusant le texte préférera
le dessin agrémenté de « bulles », qui réclamera de sa part
un effort moindre. Le danger serait d'amener l'enfant à ne
vouloir connaître que ce genre de lecture. Ces reproches-
clichés ne s'appliquent qu'aux productions qui ignorent la
grammaire, la syntaxe et l'orthographe (mais combien de
journaux présentent les mêmes défauts !). Il serait tout à fait
opportun que la loi sur la protection de la jeunesse inter-
vienne plutôt à ce niveau.

Dès 1982, lors du IXe Salon d'Angoulême (cf. *Le Grand
20e* de Cannet, La Charente libre), le ministère de la Culture
est présent ; en avril, des mesures concernant les professionnels de la BD sont annoncées et, en janvier 1983, ce ministère
met en place 15 dispositions en faveur de la BD.

Ces mesures vont dans quatre directions : — *Aides à la création et à la diffusion :* bourses, expositions internationales de BD
françaises, soutien aux manifestations promotionnelles, aides

aux chaînes de télévision et de radio pour la programmation d'émissions sur la BD, acquisition de planches originales de BD pour le musée d'Angoulême. — *Actions économiques :* aides à l'exportation, aides à l'édition de la première BD et de BD didactiques et scolaires. — *Dispositions juridiques, protection sociale.* — *Centre National de la BD et de l'Image d'Angoulême :* atelier-école, Centre de Documentation, d'Information et de Recherche[1], médiathèque-musée, expositions, Commission technique sur la BD ; c'est aussi un observatoire des nouvelles technologies et un laboratoire d'étude et d'essai, il accueille des dessinateurs, des créateurs d'images, des entreprises et des chercheurs[2].

Le CNBDI a son pendant en Belgique, à Bruxelles, où le Centre Belge de la BD, fondé en 1989, réunit un Musée de l'Imaginaire, une bibliothèque dotée d'un catalogue informatisé (avec reproduction immédiate des références) très utile pour les chercheurs, un espace lecture, une exposition permanente de planches originales et des présentations temporaires, une vidéothèque, un petit et un grand auditoriums, une revue trimestrielle *Préambule* et un prix international *Le Lion* (dès 1992).

II. — La mission éducative des BD

1. **La BD, outil pédagogique.** — Lorsque l'éditeur Hetzel lance en 1864 le premier grand journal pour enfants *(Le Magasin d'Education et de Récréation),* il écrit : « Le dessin est un langage. » Souvent accusée d'être le langage des clichés d'où toute rationalité est exclue, la BD joue un rôle de plus en plus grand dans la vie des élèves car les professeurs réalisent les profits qu'ils peuvent en tirer dans leur enseignement.

1. La bibliothèque de la Sorbonne (Centre Châtelet) s'est enrichie de 2 000 albums de 1972 à fin 1982, à l'initiative de Marion Vidal. Malheureusement, la BD ayant « mauvaise réputation », son successeur a préféré faire de cette collection un fonds mort (à l'opposé P. Marcel et A. Deyzieux soutiennent *Le cas des cases,* Mairie de Paris, 1993). En ce qui concerne le dépôt légal, la Bibliothèque Nationale garde deux exemplaires : un va aux Imprimés et l'autre au Centre national de Prêt ; celui qui était destiné à la Bibliothèque de l'Arsenal est désormais à Angoulême ; le quatrième et dernier exemplaire (lorsqu'il y en a un !) est dirigé vers le CEDOCI (Centre d'Etude et de Documentation sur l'Image) à Marseille. Il existe un fonds BD à Beaubourg préparé par P. Couperie.

2. Sources : ministère de la Culture, délégation aux Arts plastiques. Inauguration du CNBDI en 1990.

En septembre 1974, les PTT décident d'initier, par la BD, les enfants de 5 à 12 ans au fonctionnement de la poste et publient *La Lettre à Christophe*. Lorsque les Editions Larousse prennent conscience de ce que, selon une enquête de l'INSEE, 86 % des jeunes lisent des BD, elles décident d'utiliser « leur pouvoir d'éducation à des fins pédagogiques en même temps que récréatives ». Ainsi, en octobre 1976, sort *L'Histoire de France en BD* en 8 volumes, qui remporte un immense succès : 600 000 collections vendues en sept ans. Cette réussite les amène, en 1983, à faire *Découvrir la Bible* en 8 volumes et 1 100 planches. Fin novembre 1983, d'autres pays, du Japon aux Etats-Unis, ont publié cette collection. Le responsable de cette entreprise, M. de France, en a donné les raisons : « ... La BD permet par excellence de répondre au désir des jeunes : les récits prennent du relief, ils informent tout en distrayant. Images et mots, perçus d'une façon globale, intuitive, permettent une compréhension directe... » De leur côté, Moliterni et Blasco éditent chez Dargaud une *Bible en bandes dessinées : les peuples de Dieu*. Le Frère Francart, fondateur du CRIABD, publie *Coccinelle*, bimestriel sur *La BD à Bon Dieu*. Le judaïsme est expliqué aux enfants à travers les grandes fêtes traditionnelles (chez Bibli-Europe). *Si le Coran m'était conté* (Ed. Alef) retrace l'histoire de l'Islam, version critiquée par les intégristes. En 1991, on fête les 50 ans de la 1ʳᵉ BD religieuse, *Don Bosco* de Jijé (cf. *Panorama 93 de la BD chrétienne*, CRIABD, Belgique).

Déjà, en 1978, J.-B. Renard[1] signale que dès 1976 de nombreuses bibles en BD voient le jour, et propose l'examen de deux problèmes fondamentaux afin de comprendre ces conceptions : « la place de l'image dans la religion chrétienne » et « le problème de la transposition d'un récit écrit en un récit en images ».

Rapidement, auteurs et éditeurs s'aperçoivent que la BD est un excellent support pour aborder certains sujets scolaires ou ludiques de façon agréable et explicite par

---

1. *Foi et langage*, 2ᵉ année, n° 2, avril-juin 1978, p. 124 à 136 ; *Bandes dessinées et croyances du siècle*, PUF, 1986.

l'union du texte et de l'image : ainsi en 1977 *La Philosophie en BD* de Huisman et Berthommier chez Hachette, et surtout *Astérix* en latin avec *Falx Aurea (La Serpe d'or)* : existe-t-il un moyen plus plaisant de se pencher sur une langue morte dont c'est en quelque sorte le retour à la vie !; en langue occitane ont paru en 1978, *Obélix et Compagnie* et en 1992 des histoires du temps présent aux Editions Artisans du monde (afin de réhabiliter et faire connaître aux jeunes certaines langues enfouies au fond des terroirs); *La vie de J.-S. Bach* et *L'Aventure de l'équipe Cousteau* (Laffont, 1985); en 1980 la police de la route charge le gendarme Sagax d'expliquer *La Sécurité routière,* et France-Inter organise un concours réservé aux enfants nés en novembre 1970 (date de la mort du général de Gaulle) pour exprimer en BD « comment ils voient cet homme qu'ils n'ont pas connu de son vivant et comment son épopée s'inscrit dans notre patrimoine », en 1981 les Editions Mengès lancent le *Jardin facile*, en 1982 les Editions Belin publient des ouvrages de vulgarisation scientifique; en 1984 les Editions La Découverte (Maspero) proposent de retrouver : *Freud, Lénine, Einstein, Darwin, Trotsky, Marx, L'énergie nucléaire, La faim dans le monde*; en 1988 *Astérix* paraît en braille chez Chardon Bleu, et en 1989 sortent *Les secrets de l'économie japonaise en BD* (Albin Michel) au moment où la Cité des Sciences et de l'Industrie expose « La Science par la Bande » et où *Amnesty International* explique aux jeunes l'importance de sa mission *(Turbulences)*.

Au Ier Colloque international de La Roque-d'Anthéron sur le thème « Education et BD » en 1977, on a rappelé la crainte exprimée par le psychologue H. Wallon, à savoir que « les bandes dessinées ne se substituent au langage écrit et n'en laissent subsister que des exclamations ou de simples sons onomatopéiques » (*Le Monde de l'Education*, janv. 1977, n° 24), il constate que « si les bandes dessinées ne sont pas les raisons les plus importantes de la délinquance juvénile, elles en fournissent souvent les modèles »; non seulement scénarios et dessins font l'objet d'attaques virulentes qui rappellent celles du Dr Wertham aux Etats-Unis en 1954 (cf. chap. III), mais le langage même des bulles est analysé : « Toutes les incorrections grammaticales, tous les termes mal employés peuvent s'y glisser sans qu'il soit permis d'en blâmer l'auteur, qui ne fait que "répéter" ce que disent les personnages. » Sans nier l'existence de telles BD, il est tout aussi déraisonnable d'ignorer celles qui ne sauraient être rejetées sur ces arguments. Certaines adaptations, comme la *Carmen* de Prosper Mérimée transcrite par Pichard, ou les mises en scène originales des œuvres de Shakespeare par G. de Lucca, montrent aux tenants d'une culture littéraire que la BD n'est ni une étrangère, ni une inférieure.

La BD est de plus en plus utilisée pour l'apprentissage des langues. On la qualifie de « langage libérateur ». Un coopérant a choisi les Schtroumpfs pour aider des enfants gabonais à s'exprimer correctement en français ; déjà traduit en 57 langues et dialectes *Astérix en Corse* pratique la langue locale en 1993. Nombre d'éditeurs se servent de la BD pour les langues étrangères (cf. *La BD*, Clé International ; *Go Speedy*, Bordas ; *Spiderman* et *Fosdick*, Press Pocket Books). Le très sérieux dictionnaire Harrap's s'est mis à l'heure BD avec *Tintin au pays des mots*, suivi d'un manuel de grammaire sur le même ton.

D'autres BD donnent l'occasion aux élèves de s'entraîner à préciser leur vocabulaire : Popeye le marin ignore allègrement la syntaxe et la grammaire et écorche tous les mots ; Achille Talon, qui s'exprime de façon délicatement désuète mais ironique, permet de se livrer à l'exercice inverse, traduire la pensée du héros en vocabulaire courant. Si l'on oublie l'aspect sarcastique des réflexions de ce personnage, on trouve son pendant aux Etats-Unis avec le *Surfer d'Argent,* dont l'anglais oxfordien étonne plus d'un Américain. En Afrique noire, les professeurs partent d'une BD muette pour « faire parler, inventer, réfléchir ».

En avril 1982, un professeur constate lors d'une enquête sur les manuels d'anglais de terminale[1] : « La BD n'a fait qu'une apparition tardive et bien modeste dans les manuels de langue, et... elle n'est que rarement l'objet d'une exploitation pédagogique. » Aujourd'hui les *comics,*

1. *Cahiers pédagogiques*, n° 203, avril 1982, p. 15.

phénomène culturel américain, figurent dans les manuels scolaires de terminale. Parmi les livres de français destinés aux Français, Nathan sort en 1983 un recueil de *Textes français* (classe de 4ᵉ) où la partie « Documents-Magazine » présente « La BD : Héroïnes d'hier et d'aujourd'hui », et la rubrique « Savoir-faire » cite les étapes de la création d'une BD.

Au Québec, R. Langlois assure depuis 1972 des cours traitant de l'aspect figuration narrative dans la BD (le *Que sais-je?* est au programme!). Il initie à la lecture de l'image, et ses étudiants qui désirent passer de la théorie à la pratique bénéficient de l'aide d'un graphiste. Pour un professeur d'arts plastiques, la BD est un trésor d'images et un formidable support dans l'apprentissage de la communication par le dessin. En 1969, sur une idée d'Hergé et de J. Guireau (directeur de l'Ecole Saint-Luc à Bruxelles), Cl. Renard met en place des cours de sémiologie, scénario et esthétique de la BD; parmi les élèves on retrouve Schuiten, Sokal, Cossu, Berthet...

Antoine Roux dénonce, sur le plan pédagogique, le manichéisme des BD où la représentation du « mauvais » risque d'entraîner des tendances racistes.

1983 a vu la naissance de l'Atelier-Ecole de BD à Angoulême, dirigé par Chakir puis Gorridge.

L'enseignement de la BD en France

1964 : Ecole des Arts Appliqués à Paris. « Cours de BD » à l'initiative de la directrice Mme Levert. Cours théorique et surtout pratique dispensé par Pichard (jusqu'en 1985 puis par F. Renoncé jusqu'en 1990).

1970 : Enseignement pratique de la BD à l'Université de Vincennes (donné par Giraud et Moliterni, puis Mézières).

1970 : « Pratique et analyse de la bande dessinée ». UER des Arts plastiques. J. Cohen, Paris I.

1971 : « Histoire et esthétique de la BD » à l'Université de Paris I par F. Lacassin, repris par B. Trout en 1984.

1973 : L'Académie d'Amiens propose aux candidats au BEPC un sujet sur la BD. Plus de 200 thèses sur la BD en France et en Belgique, cours de Got à l'Ecole des Arts Appliqués.

1974 : Création à Toulouse d'une bibliothèque de BD.

1978 : Etude des Paralittératures par Pierre Couperie. Ecole des Hautes Etudes en Sciences Sociales, Paris.

1979 : « Paralittérature et BD » à Toulouse-Le Mirail par M. Dottin, avec la collaboration de dessinateurs régionaux.

1981 : Ecole des Arts Appliqués. « Initiation à la BD » par M.-N. Pichard (fille du dessinateur) puis par M. François.

1983 : Atelier-Ecole de BD à Angoulême.

1984 : DEUG Arts Plastiques par J.-B. Renard et A. Chante à l'Université Montpellier III. Ecole Emile Cohl à Lyon.

1985 : Académie de la Grande Chaumière, Paris.

1989 : Ecole Cohl à Marseille.

2. **La bande dessinée et la recherche.** — Le 29 mars 1962, Lacassin crée « Le Club des Bandes Dessinées » avec Resnais, Couperie, Forest... Ils éditent un bulletin *Giff-Wiff*. Mais à la suite de certains désaccords ils se séparent le 4 novembre 1964 pour former le Centre d'Etude des Littératures d'Expression Graphique (CELEG), dont les activités cessent en 1967, avec à sa tête Lacassin, et la Société Civile d'Etudes et de Recherches des Littératures Dessinées (SOCERLID) avec Couperie, François, Moliterni, Destefanis et Horn. Le but de cette dernière sera de « faire connaître la BD au moyen de rééditions, bulletin *(Phénix)* et expositions, et montrer que la BD est un moyen de communication de masse et une forme d'art » (cf. *Xanadu,* n° 2, juillet 1972).

La BD est entrée à l'Université, mais elle n'est pas encore admise au CNRS (Centre National de la Recherche Scientifique) du fait de sa pluridisciplinarité : elle « appartient » aussi bien à la littérature qu'à la sociologie ou l'esthétique... : ce qui a abouti à écarter la BD qui ne peut être rattachée à une discipline particulière. Certain aurait même dit que « la bande dessinée n'est pas un art populaire » *(sic)*, alors qu'en 1962 les fondateurs du Club des Bandes Dessinées pensaient que « la BD amorçait sa mue de divertissement populaire en art populaire ».

L'impossibilité actuelle pour la BD d'appartenir à une structure de recherche a amené un groupe d'universitaires français à créer le « Groupe Interdisciplinaire de Recherches Universitaires sur la BD ». En effet, frappés par la variété des regards qui se posent sur la BD et leur interdépendance, ils ont réalisé que les différents domaines concernés : esthétique, histoire, langues, littérature, psychologie, sciences politiques, sociologie..., avaient besoin les uns des autres[1]. Le problème, pour les chercheurs qui travaillent sur la BD, se situe sur deux plans, le plan de leur reconnaissance officielle, donc de leur absence de statut, et le plan financier. On pourrait penser qu'obtenir satisfaction sur le deuxième point serait déjà un grand pas en avant, cependant l'expérience démontre que c'est loin d'être suffisant : la recherche architecturale bénéficiait d'une reconnaissance budgétaire assurée par le CORDA, mais il lui faudra huit ans pour être admise au CNRS (en 1985). Peu d'espoir pour la BD !...

Christian Alberelli, fondateur du Centre de Recherche sur la Littérature Graphique en 1987, utilise un « suiveur de regard » pour mettre en évidence les stratégies de lecture de la BD. Son groupe s'attache à faire découvrir tous les aspects culturels de la BD.

Dans sa dernière interview[2], Hergé, à qui l'on demandait ce qu'il pensait des analyses faites au départ de son œuvre, répondait : « C'est le métier des exégètes de découvrir les choses inconscientes, celles qui vous échappent ; j'ignore s'ils ont tort ou raison. Il est possible que ce qu'ils découvrent existe effectivement. Il arrive parfois qu'on me fasse remarquer des choses que je ne soupçonnais pas et qui me sont venues inconsciemment... » Outre les réticences de certains créateurs vis-à-vis des travaux universitaires, les chercheurs sont la cible de ceux qui se veulent critiques et la proie de ceux qui pillent sans vergogne leurs études non (encore) publiées.

III. — Les BD en liberté surveillée

Oscar Wilde disait déjà : « Il n'existe aucun art que l'on puisse qualifier de moral ou d'immoral, il y a seulement, en ce domaine, la qualité ou la médiocrité. » En

---

1. La première réunion de ce groupe (fondé par Alain Chante, historien) eut lieu le 24 mai 1983 à l'Université Paul-Valéry de Montpellier (parmi les participants : des historiens, Ch.-O. Carbonell, André Simon ; des littéraires, Claude Brunon, A.-I. Baron-Carvais ; un sociologue, Jean-Bruno Renard ; un professeur d'arts plastiques, Jean Arrouye...).
2. *Tintin,* n° 11 bis, 38e année, propos recueillis par Jean-Louis Lechat.

mars 1967, F. Lacassin écrit (*Giff-Wiff*, nᵒ 23) : « Tant qu'il sera possible de contrôler, vérifier ou interdire la création d'un artiste, fût-elle une modeste BD, nous sommes destinés à une lutte inexorable. Les tabous, les préjugés, l'hypocrisie, la censure, l'autocensure devront compter avec nous. »

La première campagne de censure contre la BD est provoquée aux Etats-Unis au début du siècle par les premiers récits de science-fiction parus dans les « pulp magazines ». Dans les années 30, catholiques et communistes européens s'insurgent contre la violence et l'érotisme de certains *comics* américains. Pierre Couperie remarque qu'à cette époque (*Encyclopédie de la BD,* Serg, t. 2) l'esprit d'aventure et le culte du héros solitaire font partie « des péchés capitaux (l'individualisme) contre l'évangile marxiste, d'où bannissement absolu des *comics* en URSS. L'épisode suivant intervient en Italie en 1938, où le Minculpop (ministère de la Culture populaire) interdit les séries américaines comme "contraires à l'esprit impérial de la révolution fasciste" (en particulier Mickey) ; elles reparaissent après quelques mois, camouflées sous des noms italiens ». L'auteur signale aussi la disparition en 1942 des bulles jugées anticulturelles (elles réapparaîtront en 1943).

1. **Censure au pays des libertés.** — Dès 1945 la montée foudroyante de la criminalité juvénile aux Etats-Unis sert de prétexte aux attaques virulentes contre la BD. Sensibilisée à ce problème, l'Amérique va réagir : le 14 juillet 1948, la ville de Detroit dans le Michigan fait officiellement retirer de la vente 36 magazines en raison de l'accent mis sur l'horreur et le crime. Des tentatives sont faites pour promulguer une loi de contrôle sur les BD. Le 23 février 1949 le Sénat de l'Etat de New York fait passer, par 49 voix contre 6, un projet interdisant leur publication, distribution ou vente dans cet Etat, si un permis n'a pas été demandé au préalable. Au Massachusetts, trois projets de loi concernant les commissions de censure sont déposés. Coral Gables, en Floride, édicte une ordonnance condamnant à 500 dollars d'amende et/ou soixante jours

de prison quiconque imprimerait ou vendrait des illustrés contenant des histoires criminelles.

En mars 1949, la Guilde catéchistique commence la parution mensuelle d'une liste des « magazines de BD acceptables » pour la distribution aux écoles catholiques. 110 des 400 revues examinées par leur commission de censure y sont citées. Des éducateurs, des ecclésiastiques et des représentants d'organisations de parents s'élèvent contre la glorification du crime et des malfaiteurs ou l'exploitation du sexe. Sous cette pression, l'Association des Editeurs des Magazines de BD annonce le 1er juillet 1948 un code accepté par 14 maisons d'édition. Conditions requises[1] : pas de femmes *sexy* ; le crime ne doit pas être présenté comme invitant à l'imitation, pas de détails, policiers et juges ne seront pas dépeints comme stupides ; pas de scènes de torture ; le langage vulgaire et obscène ne doit jamais être employé ; l'argot ne peut être utilisé que lorsqu'il est nécessaire au déroulement de l'histoire ; le divorce ne doit pas être traité de façon humoristique ni représenté comme une situation attrayante ; aucune attaque antireligieuse ou raciste.

Averill[2], du State Teachers College, Worcester, Massachusetts, affirme devant l'American Association for the Advancement of Science que « les enfants rebelles d'aujourd'hui ne sont pas plus faits de *comics* qu'ils ne sont faits de films ou de radio ». Les enfants se plongent dans les aventures des héros de BD pour s'évader des peurs de la vie moderne que les adultes eux-mêmes n'ont pas réussi à surmonter. Leur premier contact avec les BD est souvent établi par le biais des journaux du dimanche ; en 1935, D. Mac Cord[3] note qu'environ 2 500 journaux utilisent les *comic strips*. En 1952, F. Fearing et C. Terwilliger[4] constatent que les *Sunday Comic Strips* attei-

1. Purified Comics, *Newsweek*, 12 juill. 1948.
2. *Science News Letter,* 7 janv. 1950.
3. The Social Rise of the Comics, *American Mercury*, juill. 1935, p. 360 à 364.
4. The Content of Comic Strips : a Study of A Mass Medium of Communication, *The Journal of Social Psychology,* New York, 1952, p. 37 à 57.

gnent une audience de 60 millions d'Américains et en déduisent qu'ils reflètent et définissent les modèles et les croyances culturels.

Dix ans plus tôt, quelques personnes s'intéressant à l'éducation de l'enfant avaient déjà souligné que les jeunes qui lisent les *comics* sont aussi ceux qui lisent les livres. Ils sont tout simplement des enfants qui lisent. On pense même que les *comics* ont tendance à faire lire des enfants qui autrement n'en prendraient pas l'habitude. En avril 1948, un article du *Science Digest* (What's on Your Mind) se fait l'écho de la campagne anti-BD que mène alors le psychiatre Frederic Wertham : celui-ci insinue que les BD développent chez l'enfant de mauvaises attitudes envers le sexe et la violence : « Les *comic books* sont absolument nocifs pour les personnes sensibles, et la plupart des jeunes le sont. Ils s'immiscent dans le développement sexuel normal, ils rendent la violence attrayante et enlèvent de la dignité aux femmes en les faisant apparaître obligatoirement séductrices, comme des objets pour lesquels se disputent vilains et héros... Nous ne pouvons certainement pas interdire la lecture de ces magazines aux enfants. Mais cela relève de l'hygiène élémentaire d'empêcher ces revues d'envahir l'esprit des jeunes comme elles l'ont fait jusqu'à présent. » En 1948, 720 millions de *comics* ont paru, et les éditeurs espèrent atteindre le chiffre de 1 200 millions pour l'année 1949. Des villes entières s'organisent pour empêcher la libre distribution de ces magazines. Certains pensent que la bataille doit être menée par l'action et non par une censure législative.

A la même époque, G. Legman publie un violent pamphlet contre la bande dessinée dans la revue *Neurotica*[1] : « La génération américaine postérieure à 1930 ne sait pas lire. Elle n'a pas appris, n'apprendra pas et n'en éprouve aucun besoin... Depuis plus d'une décennie, radio, cinéma, magazines illustrés et *comics* ont comblé tous ses besoins culturels et récréatifs et, pour elle, le langage imprimé est en voie de disparition... Dans

1. Psychopathologie des *comics*, traduit dans *Les Temps Modernes,* n° 43, mai 1949.

ce sol richement fumé de culpabilité, de peur et d'agression latente, le virus du *Superman* était semé. Les *comic books* ont réussi à donner à chaque enfant américain un cours complet de mégalomanie paranoïaque tel qu'aucun enfant allemand n'en a jamais suivi, une confiance totale telle qu'aucun nazi n'a jamais pu le rêver... Que les éditeurs, les dessinateurs et les auteurs de *comics* soient des dégénérés et des gibiers de potence, cela va sans dire, mais pourquoi donc des millions d'adolescents admettent-ils passivement cette dégénérescence ? »

Wertham continue sa croisade et multiplie les articles anti-BD ; attaqué dans le courrier des lecteurs du *Harper's Magazine* (sept. 1951), il répond : « Je ne connais personne qui, sain d'esprit, affirme que l'augmentation considérable de la délinquance juvénile puisse être attribuée aux seuls *comic books*. Ce que je clame, c'est que les *crime comic books* sont un facteur important dans les problèmes des enfants, dont la délinquance n'est seulement qu'un aspect... On m'accuse de négliger les conditions socio-économiques. Pensez-vous que ces magazines tombent du ciel ? Ils représentent l'une des expressions les plus claires et les plus directes des conditions socio-économiques que je connaisse... Mais il devrait être plus facile de s'en débarrasser que d'éliminer les bas quartiers... » En 1954, il publie *Seduction of the Innocent*, compilation des recherches qu'il a effectuées depuis 1947.

A) *Seduction of the Innocent*. — Wertham conclut que les *crime comic books* sont ceux qui dépeignent les délits et les crimes, que l'action soit située en milieu urbain, en plein western, dans un récit d'aventures, dans le domaine de la science-fiction, au royaume des surhommes ou dans une histoire d'horreur. La couverture présente généralement une scène violente dans le but d'attirer le regard de l'enfant. Les dessins contenus à l'intérieur du magazine sont souvent de véritables guides qui apprennent aux jeunes acheteurs comment tuer son prochain, cambrioler une maison, etc. Même les super-héros ne trouvent pas grâce aux yeux du psychiatre ; bien au contraire, il va les accuser des pires vices, du fascisme à l'homosexualité ! Il retourne les situations afin d'en retirer des arguments négatifs et pernicieux.

Wertham est soutenu par le Dr Witty, de Northwestern University, qui affirme que les BD de super-héros « présentent notre société dans un univers fasciste, symbole de violence, haine et destruction... Par conséquent, l'idéal démocratique que nous devrions rechercher sera vraisemblablement négligé... Superman (avec un grand S sur son uniforme — nous devrions, je suppose, être reconnaissant que ce ne soit pas SS) a besoin d'un flot constant de nouveaux sous-hommes, criminels et métèques non seulement pour justifier son existence mais même pour la rendre possible ». Il en déduit que l'enfant pourra avoir deux réactions : ou il se prendra pour un surhomme face à ceux qu'il jugera inférieurs, ou bien il aura une attitude soumise envers les hommes forts qui résoudront les problèmes à sa place. Il qualifie d'atteinte aux lois de la gravité la possibilité pour Superman d'arrêter en plein vol un avion alors qu'il est lui-même en train de voler ; il voit Wonder Woman comme un personnage horrible, très musclé, qui torture les hommes, et prétend que les relations de Batman et Robin suggèrent celles de Zeus et Ganymède.

Wertham qualifie l'ambiance des aventures de Batman d' « homosexuelle et anti-féminine » et cite l'étude de 1 000 cas d'homosexuels[1] où Batman apparaît comme la lecture préférée de nombre des adolescents consultés. Il donne l'exemple d'un garçon de 13 ans qui, aidé d'un camarade, a violenté un enfant de 8 ans ; le médecin a noté que le jeune adolescent était un admirateur de Batman. Cette accusation d'homosexualité marquera le personnage de Batman à tel point que les scénaristes ajouteront une parente au dynamique duo pour les épisodes télévisés. Mais l'homosexualité n'est pas « réservée » à Batman, Wonder Woman est sa contrepartie lesbienne ! Le jugement incisif de Wertham sur la sexualité de Batman et de Wonder Woman oublie les femmes qui ont séduit le premier (Batwoman, Linda Page...) et l'homme qui occupe la vie de la seconde (Steve Trevor). Wertham a réalisé que la terminologie freudienne est si élastique que n'importe quelle conduite humaine peut être analysée comme un désordre psychologique. Les Daniels[2] re-

1. Etude réalisée au Quaker Emergency Service Readjustment Center.
2. *Comix : A History of Comic Books in America,* NY, Bonanza Books, 1971, p. 88.

marque qu'en appliquant le raisonnement de Wertham on arrive à la conclusion suivante : si les personnages de l'histoire sont essentiellement de sexe masculin, l'atmosphère créée est donc homosexuelle ; s'ils appartiennent au sexe féminin, on se trouve alors dans un repaire de lesbiennes ; et, si le nombre de femmes et d'hommes est également réparti, la BD laisse la porte ouverte à la plus grave accusation qui soit : elle provoque l'hétérosexualité préadolescente. Avec de telles assertions, aucun magazine n'est à l'abri d'attaques des ligues de moralité.

L'article « What Parents Don't Know about Comic Books » (*Ladies' Home Journal,* nov. 1953) déclenche une avalanche de réponses émanant de vétérans de Corée, de grand-mères (« J'espère que vous continuerez cette croisade pour les éliminer... »), d'organisations (le Comité de Citoyens contre la Délinquance Juvénile de Philadelphie : « ... Nous aimerions lancer une campagne pour débarrasser Philadelphie de cet horrible cancer »), de professeurs (parlant de l'enfant qui lit des *comics* : « ... il est incapable de lire. Il sera un électeur ignorant. Il y aura des millions de personnes comme lui. Hélas ! Notre pauvre nation... »), de membres du clergé (« Il rentre dans mes obligations de m'occuper de jeunes qui se sont attiré des ennuis, très souvent pour découvrir qu'ils ont trouvé dans les magazines de BD l'inspiration de leurs méfaits »), de médecins et de commerçants (« Le drugstore dans lequel je travaille n'a jamais vendu ce type de BD... Nous avons tous des enfants et faisons de notre mieux pour éviter de vendre quelque chose que nous n'aimerions pas les voir lire »).

Le Sénat, saisi de ce problème, nomme une commission d'enquête sur la délinquance juvénile. Deux psychologues réputés, Rush et Felix, innocentent les *comic books* : « Ils ne sont pas un facteur d'importance significative contribuant à l'augmentation de la délinquance juvénile... Quelques-uns des magazines vendus aux enfants font peur, mais si on doit les condamner pour cela, il devient nécessaire de remettre en question la lecture des contes d'Andersen, de Grimm et même de Walt Disney. »[1] Le choix des lectures leur paraît plus un symptôme qu'une cause des problèmes de l'enfant. Wertham fait reposer son argu-

---

1. Cause of Delinquency, *Science Newsletter,* 1er mai 1954, p. 275.

mentation sur l'esprit d'imitation des enfants et raconte qu' « un garçon de six ans, après avoir sauté par la fenêtre enroulé dans un vieux drap, a déclaré qu'il avait vu cela dans les bandes dessinées »[1].

Dans *Harper's Magazine* (sept. 1952) on peut lire que : « Annette Lassistar, âgée de 13 ans, a secouru une camarade âgée de 11 ans, tombée dans un étang, et lui a sauvé la vie en pratiquant la respiration artificielle. » L'enfant, élève de 4e, n'a jamais suivi des cours de secourisme ; elle explique qu'elle a agi « comme dans les *comic books* ». Même Walt Disney intervient pour défendre les *comics* : « Cela semble être un étrange cas de culpabilité par association. Parce qu'une minorité publie des saletés, toutes les bandes dessinées devraient être condamnées !... » (*Newsweek,* 3 mai 1954).

Pour Wertham, la relation de cause à effet liant les *comics* à la délinquance juvénile ne fait aucun doute : « Les enfants qui lisent de tels magazines sont poussés par la délinquance, et ceux qui sont coupables de délits sont des amateurs du genre. »[2] Pour faire ressentir au gouvernement l'absolue nécessité d'un contrôle non seulement étatique mais fédéral, il s'appuie sur l'exemple de pays européens — entre autres Angleterre, France, Canada, Suède, Hollande, Italie, Belgique, Allemagne de l'Ouest — tout aussi dévoués à la démocratie et à la liberté d'expression que l'Amérique et qui réglementent les *comics*. Ce qui n'empêche pas des organisations comme l'Union des Libertés Civiques de frémir au seul mot de censure et de s'opposer violemment à ses idées. Cependant une commission du Sénat continue à enquêter sur les *comics*, cause possible de l'augmentation des délits et crimes commis par les adolescents. Environ 15% des 75 millions de *comic books* publiés mensuellement sont visés par cette investigation. Fin avril 1954, le maire de la ville de New York, R. F. Wagner, les accuse de promouvoir « la luxure, la violence, la perversion sexuelle et l'irrespect à l'égard de la Loi et de l'Ordre ». Ces incrimi-

1. Are Comics Horrible ?, *Newsweek,* 3 mai 1954, p. 60.
2. Harold C. Gardiner, Comic Books : moral threat ?, *America,* 26 juin 1954, p. 340.

nations incitent 24 éditeurs à se réunir pour former la Comics Magazine Association of America proposant un code d'éthique, strict et détaillé, prêt à entrer en vigueur dès le 15 octobre 1954, et chargent Charles E. Murphy de l'administrer.

B) *Controverse autour d'un Comics Code.* — 1954 correspond à la dernière année de la « chasse aux sorcières » du sénateur McCarthy. Les *comic books* sont eux aussi pourchassés : les styles et les contenus changent, certains personnages et titres disparaissent. Mais ce sont surtout les *Educational Comics* reconvertis par Bill Gaines, le fils de M. C. Gaines, qui vont être touchés par la censure. Car, de 1947 à 1954, Bill Gaines réussit à reconstruire sa compagnie en créant les *EC Comics (Entertaining Comics)* : toute une collection d'illustrés d'horreur, de fantastique et de science-fiction. Et c'est précisément au moment où les *comic books* sont au faîte de la gloire qu'ils sont frappés par la sortie du livre de Wertham, au printemps 1954. L'industrie réagit donc, peut-être pour éviter une loi contre les *comic books*, certainement aussi pour « se blanchir ». C'est ainsi que le 26 octobre 1954 sort un code groupant certaines restrictions auxquelles les éditeurs devront se plier s'ils désirent voir le sceau *Approved by the Comics Code Authority* apparaître sur la couverture de leurs magazines, sceau sans lequel la distribution de leurs publications pourra être refusée.

Les limites concernant le contenu des bandes dessinées peuvent se résumer ainsi : — Les mots « horreur » et « terreur » ne sont pas autorisés dans le titre, et aucune scène sanglante, de dépravation, luxure, sadisme ou masochisme n'est permise. — Toute démonstration de sympathie à l'égard des criminels, tout crime détaillé ou toute attitude irrespectueuse vis-à-vis des autorités sont formellement mis à l'index. — Profanation, obscénité, vulgarité, attaques religieuses ou raciales le sont également ; les personnages devront être vêtus décemment, particulièrement les femmes dont les caractéristiques physiques ne pourront être accentuées (cf. Code for Comics, *Time,* nov. 1954). Ce Code est à la BD ce que le Code Hays est au cinéma hollywoodien.

C'est une censure volontaire dont le texte est signé par 26 éditeurs. Seuls Dell, Gilbertson et EC ont refusé d'adhérer à la CCA, invoquant le fait qu'ils n'ont jamais publié une revue qui viole les dispositions dont il est question. Depuis son existence, selon un rapport du *Comics Magazine Association of America*, ce Code a été accepté par 90 % de l'industrie des bandes dessinées, éditeurs, distributeurs, imprimeurs et graveurs compris. Après sa publication, la National Cartoonists Society a vu la censure non pas comme une pression temporaire mais comme le premier pas vers la fin de la liberté du média concerné. La direction de la Société, avec Walt Kelly, Milton Caniff et Joseph Musial aux principaux postes, rend publique son opposition au Code. Paradoxalement, Wertham, qui est à l'origine de l'existence de ce Code, n'a aucun lien avec celui-ci ; il n'a pas participé à son élaboration et il montrera autant d'acharnement à le critiquer qu'il en mit à analyser les *comic books*. Car le psychiatre s'est opposé au crime dans les BD quel que soit le contexte ; le 9 avril 1955, il affirme que cette décision n'a rien fait pour effacer le crime des *comics* : le Code a seulement entouré les mauvaises actions d'une aura hypocrite. Au contraire, avec le sceau d'approbation, le crime prend davantage l'aspect d'un jeu. Il va jusqu'à déclarer qu' « à présent, il est beaucoup plus prudent pour une mère de laisser son enfant acheter un magazine sans le sceau d'approbation qu'un illustré avec un tel sceau » (It's Still Murder, *Saturday Review of Literature*).

De toute façon le Code atteint les BD d'horreur ; les deux plus importantes réussites commerciales de chez EC, *Crypt of Terror* et *Vault of Horror,* de même que l'illustré de Lev Gleason, *Crime Doesn't Pay,* sont immédiatement condamnés.

Quant à la différence entre les bons et les mauvais *comics,* nuances que le Code espère peut-être faire ressortir, B. Rosenberg et D. M. White écrivent à ce sujet : « Le Dr Wertham est parfaitement capable d'ignorer la distinction entre "bons" et "mauvais" parce que la plupart d'entre nous ont du mal à concevoir ce qu'un "bon" *comic book* pourrait être. »[1]

1. *Mass Culture : the Popular Arts in America*, p. 206.

Le Dr Gosnell écrit en 1955 : « Les *comics* violents existent depuis environ 20 000 ans, les bandes dessinées ne sont pas entièrement bonnes ou entièrement mauvaises, l'homme y a survécu. La technique de l'histoire racontée en images est très utile de nos jours, et les personnes inquiètes au sujet de la mauvaise influence des *comics* devraient s'y intéresser d'une façon positive, par exemple en se procurant de meilleurs livres pour enfants dans leurs bibliothèques. »[1]

Par ailleurs en 1949 l'inventeur du *comic book* (1932), H. I. Wildenberg, se dit être désolé d'avoir introduit ce genre et aimerait le voir aboli. Il précise même que l'ordonnance de la ville de Los Angeles opposée à la libre distribution des *comic books* le satisfait. De plus, il clame n'avoir jamais autorisé sa fille Joan à les lire[2]. Le 2 avril 1956, la Fondation Edison reconnaît pour la première fois l'importance des *comic books* dans le domaine des mass media et constate l'utilité de la cca.

En 1992 l'homosexualité effraie encore : 19 journaux (sur 1 400 abonnés à l'*Universal Press Syndicate*) censurent *For Better or For Worse* de la Canadienne L. Johnston après l'aveu de son héros, alors que Northstar *(Alpha Flight)* fait de même... avec le sceau du code (en 1988 Extrano – *The New Guardians* — l'avait reconnue... sans le sceau).

2. « **Attention, les enfants regardent !** ». — Tandis que les Etats-Unis chargent les bd de tous les crimes, l'Europe mène une campagne semblable pour des raisons différentes : en juillet 1942, la France de Vichy proscrit la bd américaine de tous les journaux. Plus tard l'anti-américanisme, l'idéologie marxiste et la défense des valeurs chrétiennes s'associent à des motifs d'ordre commercial. Le Président Auriol, inquiet de la médiocrité de certaines productions, pousse à l'élaboration d'un régime de contrôle qui donne naissance à la loi du 16 juillet 1949. L'article 2 a pour but de s'assurer que

1. *Science Newsletter,* 1er oct. 1955.
2. John R. Vosburgh, How the Comic Book Started, and How the Originator Looks on It Now, *Commonweal,* 20 mai 1949, p. 146.

les publications destinées à la jeunesse ne comportent « aucune illustration, aucun récit... présentant sous un jour favorable le banditisme... le vol... la haine, la débauche ou tous actes de nature à démoraliser... la jeunesse ou à entretenir des préjugés ethniques ». Sa transgression permet au tribunal d'ordonner « la saisie et la destruction de tous les exemplaires » ; la Commission de surveillance (renouvelée tous les 3 ans) chargée de signaler au ministre les infractions préfère souvent convoquer pour obtenir rectification que poursuivre[1]. Il en va autrement pour les publications « présentant un danger pour la jeunesse » visées à l'article 14 (modifié par Ord. de 1958 — dépôt préalable — et loi de 1967) ; le ministre de l'Intérieur dispose de trois interdictions, dissociables depuis 1967 : vente aux mineurs, exposition et publicité. J. Rivero (*Les libertés publiques,* t. 2, PUF, 4e éd. 1989) préconise des aménagements pour mieux concilier « le respect de l'enfant et celui d'une liberté digne de ce nom ». Qu'en est-il de la suppression de toute forme de censure et de la révision de l'article 14 envisagées par le rapport Pingaud en 1982 ?

Un survol des affaires de censure de ces quarante dernières années révèle une évolution et des persistances.

Juillet 1950 : La revue *Educateurs* (de l'Union des Œuvres catholiques) entame une campagne contre *Tarzan.*

1951 : L'UFOLEIS (émanation de la Ligue de l'Enseignement) tente de lutter contre les BD.

3 mai 1952 : Suite de la campagne contre *Tarzan* ; le titre ayant été retiré de la Société de Répartition des Papiers de Presse, la publication est suspendue.

22 mars 1953 : Donald, hebdomadaire tirant à 300 000 exemplaires, abandonne au n° 313 sous la pression de la Commission de contrôle.

28 mars 1953 : Tarzan reparaît, censuré tant sur le plan de sa tenue que sur celui des situations représentées.

Avril 1953 : La Commission de contrôle continue à « épurer » et saborde deux revues : *Le Fantôme* et *Mandrake* (qui sera republié en juillet 1962).

1. A.-I. Baron-Carvais, Les super-héros au secours de l'Amérique, *Raison présente,* n° 64, oct. 1982, p. 55 et 58.

Juillet 1953 : Le magazine *Educateurs* s'en prend à nouveau à *Tarzan* : Del Duca abandonne le journal le 24 octobre, et Hachette les albums (publiés depuis 1936).

Nov.-déc. 1953 : La revue *Enfance* qualifie les BD de « poison sans paroles ».

Octobre 1955 : Les Temps Modernes publie un article de Wertham.

1963 : 20ᵉ album de *Lucky Luke* réédité : *Billy the Kid,* moins une demi-planche (quand Billy suce un revolver).

1965 : Hara-Kiri est interdit.

Janvier 1967 : La Ligue de l'Enseignement organise une conférence favorable à la BD, en présence de F. Lacassin.

25 avril 1969 : Le Service de l'Education surveillée du ministère de la Justice rend compte, dans une lettre adressée aux Editions Lug, de la décision de la Commission de surveillance concernant *Fantask* : « ... cet organisme a considéré que cette nouvelle publication était extrêmement *nocive* en raison de sa science-fiction *terrifiante,* de ses combats de *monstres traumatisants,* de ses récits au climat *angoissant* et assortis de dessins aux couleurs *violentes.* Elle a estimé que l'ensemble de ces visions *cauchemardesques* était *néfaste* à la sensibilité juvénile... » *(sic).* Il en ira de même pour *Marvel.*

1970 : Hara-Kiri Hebdo est interdit (cf. p. 94).

1972 : Les Editions du Square sont condamnées, à la requête du Parquet, à des amendes minimes pour l'album *Les aventures de Mme Pompidou,* de Cabu.

24 juin 1974 : Un arrêté de M. Poniatowski, ministre de l'Intérieur, interdit aux mineurs *Jack l'Eventreur en vacances* de Willem, et toute publicité en sa faveur.

16 juillet 1974 : Revirement qui indiquerait que le ministre de l'Intérieur a l'intention de ne plus ratifier purement et simplement les propositions de la Commission de contrôle.

8 août 1976 : Surprise (publication du groupe Hara-Kiri) et *Métal Hurlant* ont des problèmes.

8 décembre 1976 : Schulz demande aux tribunaux la destruction de *M. Schulz et ses Peanuts* de M. Vidal (Albin Michel), illustré par Greg, Wolinski, etc., présentant les célèbres personnages contestataires et même débauchés. La défense répond : « Tous les législateurs ont prévu de dispenser le parodieur de demander son autorisation au parodié. » Le 25 janvier 1977 le tribunal décide : « ... Les dessinateurs qui ont collaboré à l'ouvrage ont tenu à réaffirmer au cours des débats l'admiration qu'ils portent à Schulz qu'ils considèrent comme leur maître... tout aussi admiratif que celui de Marion Vidal, leur hommage est seulement plus corrosif », et rejette la demande de Schulz.

30 septembre 1978 : Pilote est radié de la Commission paritaire car les revues de BD pour adultes doivent consacrer 50 % des pages à des articles « écrits ». Le 4 octobre, ce magazine bénéficie d'un délai de grâce de six mois.

9 décembre 1978 : M. Nilès réclame l'interdiction d'*Hitler,* BD chez Elvifrance, pour « appel à la violence... pornographie... graves mensonges historiques ».

19 janvier 1979 : Les éditeurs de BD dénoncent la censure hypocrite et rappellent qu'*Hara-Kiri Hebdo* était mort d'interdiction à l'affichage après avoir titré au lendemain du décès du général de Gaulle « Bal tragique à Colombey : 1 mort ». Le motif officiel avait été... pornographie !

2 décembre 1980 : Mme Giscard d'Estaing demande la saisie d'*Hara-Kiri* dont la couverture la montre nue et assise sur les genoux d'un émir du pétrole (il s'agit bien sûr d'un photomontage !) et obtient seulement le changement de la première page : compromis accepté pour, a-t-elle dit, « ne pas mettre en péril la vie d'un journal quel qu'il soit ».

29 octobre 1981 : Le bibliothécaire de la RATP reçoit un blâme de la Commission paritaire du personnel pour avoir commis « une faute professionnelle par le choix de livres dont la nature porte atteinte à la moralité du comité d'entreprise ». Il a en effet commandé 4 volumes de BD de Pichard et Tardi. Déjà en juillet 1981, la CGT fait voter une motion exigeant le retrait de 15 albums de BD de la bibliothèque ; parmi les dessinateurs visés : Bretécher, Reiser et même... Wolinski ! M. Bérigaud obtiendra des dommages et intérêts et gardera son emploi à la RATP (renseignement fourni par le comité d'entreprise de la RATP).

Fin août 1982 : Hara-Kiri (allusion à l'accident de l'autoroute A6 à Beaune) de septembre est interdit à la vente et à l'exposition par arrêtés préfectoraux du 28 août 1982 dans l'Oise et la Côte-d'Or.

En Belgique, le n° 66 de la revue *Circus* est retiré de la vente pour avoir dans la série *Jaunes* mis « en cause la moralité de la famille royale sous Léopold III » et cité « un ancien ministre mêlé à une affaire de pots-de-vin ». Bucquoy revendique l'authenticité de ses informations mais une loi du 6 avril 1847 punit les offenses envers la personne du roi et la famille royale.

1983 : la Commission de surveillance française est intervenue trois fois. L'attaque contre *Marie-Gabrielle en Orient,* de Pichard, est considérée comme une regrettable erreur. En janvier 1984 le ministre de la Culture rappelle aux éditeurs de BD pour adultes que la loi de 1949 reste en vigueur. Afin d'éviter de pénaliser cette production (« par l'interdiction d'exposition dans les librairies et les grandes surfaces, l'obligation du dépôt préalable et la majoration du taux de TVA »), il recommande d'utiliser « un conditionnement clos (type film opaque) ».

Janvier 1988 : Les dessinatrices Claveloux, Cestac, Montellier et Puchol lancent un manifeste dans le journal *Le Monde* contre la violence et la pornographie dans la BD.

1987 : S. Marchal, conseiller de Paris, réclame l'application stricte de la loi de 1949 et « épurge » les bibliothèques ; en mars, Ch. Pasqua, ministre de l'Intérieur, expose son *Musée de l'horreur :* haro sur Pichard, Liberatore, Magnus, Lévis, Crépax et Van Den Boogaard ; mouvement *Renvoyons la censure.*

1988-1990 : Procès d'Uderzo contre *SAGA Verlag*, l'éditeur allemand des parodies *Istérix* et *Alcolix*, jugées par l'artiste comme une atteinte à son droit moral en raison, dit-il, du caractère « scatologique et pornographique ».

2 juillet 1990 : Arrêté contre *Hitler = SS*, réédité après un premier arrêté du 25 février 1988 (cette BD tombe sous l'art. 14 de la loi de 1949), pour avoir évoqué « de manière extrêmement dévalorisante l'holocauste dans les camps de concentration ». Ce sujet douloureux n'incite pas à l'humour mais Vuillemin, au talent incontestable, assure railler ici la barbarie nazie et la collaboration française. Peut-être si cette phrase de Vuillemin (interviewé avec Gourio par Gotlib dans *Les Cahiers de la BD*, n° 85, de juin 1989) : « ... Notre livre, lui, montre l'horreur, la vraie, avec son cortège de saloperies sans esthétisme ni cucuterie... », était parue en exergue de la BD, les victimes de l'holocauste auraient mieux compris l'intention des auteurs en ces temps où le néo-nazisme et le négationnisme se répandent et s'affichent. En 1992 l'album est interdit en Espagne.

1992 : Casterman et la veuve d'Hergé déboutés de leur action contre *La vie sexuelle de Tintin* (*Belge*, journal de Bucquoy) car « ...la distance entre les deux œuvres est telle que le lecteur offensé par des scènes obscènes ne peut attribuer à l'auteur original ce qui est le fruit du caricaturiste. »

Chapitre IV

BD ET SOCIÉTÉ

I. — Les lecteurs de bandes dessinées

1. **Typologie des lecteurs.** — On pense immédiatement au *Journal de Tintin* « pour les jeunes de 7 à 77 ans », car bien souvent la BD sert à franchir le fossé des générations. Lorsqu'un membre d'une famille en achète une, celle-ci circule de main en main, elle est parfois un point de rencontre entre l'adolescent et l'adulte. A l'heure actuelle elle évolue ouvertement vers le marché adulte (surtout les 25-39 ans), ce qui n'est pas sans risques, car « longtemps enfermée dans le ghetto de l'enfance, la BD risque de l'être dans celui des intellectuels » (Moliterni).

Les personnages de BD font partie de la vie quotidienne. En janvier 1988, les Editions Albert René commandent à la SOFRES une enquête pour connaître la notoriété des héros de BD. L'étude porte sur 1 000 individus âgés de 15 ans et plus[1].

	Cadres supé- rieurs %	Petits com- mer- çants %	Prof. inter- mé- diaires %	Inac- tifs %	Ou- vriers %	Em- ployés %	Agri- cul- teurs %
Astérix	73	68	69	30	58	69	8
Tintin	54	51	63	27	40	46	17
Mickey	40	39	43	32	44	40	22
Lucky Luke	46	43	33	13	35	41	27
Donald	23	30	35	16	34	31	33
Gaston	31	25	36	14	20	26	27

1. Résultats lus d'après graphiques, exacts à ± 1 %.

Les bandes dessinées représentent 7 % du taux de lecture des Français (*Le Monde,* 12-11-82). En 1989 une étude montre que 40 % des Français de 15 ans et plus ont lu des livres et BD au cours des 12 derniers mois et 1 % exclusivement des BD[1]. Il existe différents degrés chez les amateurs. Adolescent ou adulte : — *lecteur occasionnel,* il lira une BD pour passer le temps ou parce qu'elle se trouvera à portée de main ; — *lecteur régulier,* il pratique « la politique des auteurs », il achète le dernier Bilal... ; — *collectionneur,* il achète tout ; sa culture en la matière est assez étendue ; il sait dire quels sont les albums de *Lucky Luke* dus à Morris seul et à Morris sur scénario de Goscinny ; — *fanatique,* il va chez les marchands de vieilles BD pour chercher les albums qui lui manquent, prêt à les payer très cher. Il connaît tout de ses héros préférés[2]. Il court les manifestations consacrées à la BD[3], pour échanger et surtout pour rencontrer les artistes auxquels il réclame une dédicace qu'il gardera précieusement.

En 1974, la SOFRES a réalisé un sondage (2 000 personnes de 10 à 24 ans) pour établir la typologie des lecteurs de certains hebdomadaires français de BD[4], tels que *Pif, Mickey, Pilote, Tintin* et *Spirou* : les lecteurs sont en majorité de sexe masculin, âgés de 10 à 14 ans (sauf les lecteurs de *Pilote,* plus vieux) et scolarisés. Le sondage effectué par l'IFOP en septembre 1980 sur environ 2 000 personnes âgées de 15 ans et plus révèle que les jeunes de 15 à 34 ans lisent et achètent des albums de BD dans une proportion importante (peu d'écart entre les

---

1. *Les pratiques culturelles des Français,* La Documentation française, 1990.
2. Par exemple : *Etes-vous tintinologue* ? d'Hébert et Giroux, Casterman, 2 vol., 1983.
3. Angoulême (janvier) ; Salon du vieux papier, Paris (février) ; Aix-en-Provence et Clichy (mars) ; Foire du livre pour la jeunesse, Bologne (avril) ; Valence, Espagne (mai) ; Montpellier, Comic's de Barcelone et Sierre, Suisse (juin) ; Convention de Paris, Hyères, Chambéry et Bruxelles, Belgique, Saint-Malo (octobre) ; Lucca, Italie, Illzach et Blois (novembre) ; Montreuil (décembre) ; Creil ; Convention de Breda, Hollande ; Erlangen et Hambourg, Allemagne... Pour les nombreuses conventions américaines, voir *The Comic Book Price Guide.*
4. Analysé dans *Clefs pour la bande dessinée,* de Renard.

(en %)	Lecteurs d'albums			Lecteurs de revues de BD			
					De temps en temps	Total	
	Non	Oui	SR	Régu-lière-ment		Oui	Non
Ensemble	59,8	40,2	1,7	9,1	28,6	37,7	60,6
Sexe :							
Hommes	54,0	46,0	1,2	11,6	33,0	44,6	54,1
Femmes	65,1	34,9	1,9	6,9	24,6	31,5	66,6
Age :							
15-24 ans	25,8	74,2	1,3	20,4	49,0	69,4	29,3
25-34 —	42,2	57,8	0,8	12,3	41,1	53,3	45,9
35-49 —	60,6	39,4	1,2	8,1	28,7	36,7	62,1
50-64 —	86,4	13,6	2,6	1,3	12,0	13,4	84,0
65 ans et +	96,1	3,9	2,6	0,5	4,5	5,0	92,4
Profession :							
Com., Ind., Pr. lib.	39,7	60,3	1,3	14,1	37,2	51,3	47,4
Empl., cadres moy.	43,4	56,6	1,9	15,1	39,3	54,4	43,6
Ouvriers	53,5	46,6	1,5	10,3	35,5	45,8	52,7
Inactifs	68,9	31,1	1,5	6,4	22,2	28,6	69,9
Agriculteurs	84,9	15,1	1,9	0,9	12,3	13,2	84,9

Les acheteurs d'albums

(en %)	?	1 à 5	5 à 10	Plus de 10	Aucun
Ensemble	0,8	13,4	6,4	8,5	70,9
Sexe :					
Hommes	0,9	12,2	6,1	9,3	71,6
Femmes	0,7	14,4	6,6	7,8	70,5
Age :					
15-24 ans	0,7	21,2	10,3	13,8	54,0
25-34 —	0,2	19,3	9,5	13,0	58,0
35-49 —	0,6	14,6	7,5	9,6	67,7
50-64 —	1,0	5,5	1,8	2,4	89,3
65 ans et +	1,3	2,4	0,5	0,8	95,0
Profession :					
Com., Ind., Pr. lib.	0,6	23,7	7,1	12,8	55,8
Empl., cadres moy.	1,0	19,7	10,6	10,6	58,3
Ouvriers	0,4	10,5	6,0	10,1	72,9
Inactifs	0,6	11,9	5,2	7,3	75,0
Agriculteurs	2,8	1,9	2,8		92,5

(IFOP, Journal de la Presse, n° 87, 19 oct. 1980.)

Les critères du choix (2 réponses)

(en %)	SR	Au-teur	Série	Edi-teur	Publi-cité	Presse, radio, amis	Dans une revue
Ensemble	9,2	54,5	46,4	6,9	13,3	29,6	17,2
Sexe :							
Hommes	7,6	59,0	47,6	7,9	12,4	27,9	18,6
Femmes	10,7	51,2	45,1	6,1	14,2	30,6	16,2
Age :							
15-24 ans	5,3	55,6	50,2	7,2	14,5	31,4	22,2
25-34 —	8,4	54,4	41,4	6,0	13,0	32,1	20,0
35-49 —	11,5	55,8	49,7	9,7	13,3	24,2	10,9
50-64 —	21,6	43,2	40,5		10,8	27,0	8,1
65 ans et +	21,4	57,1	42,9		7,1	35,7	
Profession :							
Com., Ind., Pr. lib.	11,8	69,1	48,5	4,4	5,9	26,5	10,3
Empl., cadres moy.	4,7	59,4	46,5	7,6	12,4	32,4	18,8
Ouvriers	7,3	44,4	43,5	4,8	19,4	37,9	24,2
Inactifs	11,8	52,4	47,2	8,1	13,3	25,5	15,1
Agriculteurs	40,0	60,0	40,0				

Où achète-t-on la BD ?

(en %)	SR	Librairie tradi-tionnelle	Librairie spécia-lisée	FNAC	Grandes surfaces	Kios-que
Ensemble	2,5	48,1	10,5	11,3	32,8	29,8
Sexe :						
Hommes	1,7	49,0	11,0	12,1	24,8	34,5
Femmes	2,9	47,7	10,1	10,7	39,3	25,7
Age :						
15-24 ans	2,8	48,8	11,6	12,1	26,6	34,3
25-34 —	4,8	48,8	12,1	11,6	34,9	25,1
35-49 —	2,7	46,7	9,7	9,7	36,4	31,5
50-64 —	7,1	45,9		16,2	40,5	27,0
65 ans et +		50,0	7,1		28,6	21,4
Profession :						
Com., Ind., Pr. lib.	4,4	41,2	11,8	16,2	26,5	33,8
Empl., cadres moy.	0,6	54,1	12,9	15,3	35,9	28,2
Ouvriers	2,4	48,4	12,1	4,0	25,8	29,8
Inactifs	3,3	45,0	8,1	11,1	36,2	30,3
Agriculteurs		100,0				

(IFOP, Journal de la Presse, n° 87, 19 oct. 1980.)

hommes et les femmes); c'est également dans cette tranche d'âge que se trouvent les lecteurs de revues de BD. L'écart entre le nombre d'acheteurs et de lecteurs d'albums fait apparaître un taux de circulation relativement élevé. Le nombre de lecteurs augmente à mesure que l'on s'élève dans la hiérarchie sociale. Si en 1980 les librairies spécialisées ne sont pas très fréquentées, la fin de la décennie voit leur clientèle augmenter et se fidéliser. La FNAC organise depuis 1990 des animations BD et des concours destinés à découvrir de nouveaux talents. Les deux raisons principalement avancées pour expliquer les critères de choix sont l'auteur et la série, loin devant la publicité.

2. **Le marché de la BD.** — A) *Les ventes d'albums et de revues.* — La BD représente 2,8 % du chiffre d'affaires de l'édition en 1989. La production quantitativement importante (à défaut de l'être toujours qualitativement !) a cependant affiché une baisse de 16 % dans les années 80, au moment où des rachats successifs évoquent la recherche d'un monopole. Dès 1990, Futuro appartient à Gallimard, Les Humanos à Alpen, Fleurus, Lombard et Dargaud à Ampère (cf. p. 29), Hachette participe à Dupuis et diffuse Glénat.

Tintin, 41 langues dont le russe en 1994, environ 180 000 000 exemplaires vendus et 32 albums pirates. — *Astérix,* 57 langues et dialectes, 2 à 7 000 000 ex./album (au total 250 000 000 ex.). — *Lucky Luke,* 1 000 000 ex./album. — *XIII,* 200 000 ex. — *Achille Talon,* 100 000 ex./album. — *Gaston Lagaffe,* jusqu'à 1 000 000 ex./album. — Bretécher et Reiser, 300 000 ex./album ; Pratt, 60 000 minimum (le premier *Corto Maltese* a atteint 200 000 ex.) ; Tardi, 50 000. — *Juliette,* d'après Sade, dessiné par Clavell, 50 000 ex. — F'Murr, Manara, Pétillon, Franc, Binet, entre 60 000 et 80 000 ex./album...

Un livre qui descend au-dessous de 6 000 exemplaires perd son intérêt commercial, ce qui explique le système longtemps pratiqué des prépublications dans les revues.

Les jeunes artistes qui débutaient dans *A suivre* (Casterman), *Circus* (Glénat), *Charlie* ou *Pilote* (Dargaud)... étaient presque assurés de vendre un minimum de 12 000 albums.

L'intérêt croissant pour la BD a donné naissance à un argus *(Trésors de la BD)*. Cela favorise malheureusement la spéculation (cf. *Tintin au pays des Soviets* atteint 43 000 FF lors de la vente aux enchères *Tintinomania* — dopée selon *Libération,* 29/12/90, p. 17 — du 8/12/1990; Hergé a réimprimé ses premiers albums en fac-similé pour éviter les éditions pirates). Les éditeurs proposent aux collectionneurs : rééditions luxueuses (cf. Rombaldi), albums para-BD (*Quai des Bulles,* La Vie du Rail, 1985; l'*Encyclo-BD des armes,* Dupuis, 1985), les porte-folios, les lithographies, les tirages de tête[1], le coffret album et CD (*Paris Jour et Nuit,* Art Moderne)... Parlons des ventes aux enchères de planches originales : le 20/11/93, la planche 17 d'Astérix *La Zizanie* a fait 101 000 FF à Drout; la télécarte, comme les timbres, affiche la BD. Les *Schtroumpfs* et *Astérix* ont leur parc. Tapotez votre minitel : 3615 BD. Et si l'informatique vous attire (cf. *BD et jeux vidéo,* Le mensuel du Droit de l'Information, n° 159, mars 1993, p. 95 à 97), *Comics Maker* (Log Access) vous permet de créer votre BD en piochant dans une banque d'images.

Le Syndicat national de l'Edition donne les chiffres suivants concernant la production française[2] :

	Nombre de titres* publiés dans l'année	Nombre d'exemplaires* produits dans l'année
1974	360	7 656 000
1977	538	13 930 000
1980	681	15 782 000
1983	835	12 270 000
1987	717 sans les Poches	19 100 000
1989	613 sans les poches	15 405 000

* Nouveautés et rééditions.
En 1992 il n'y en a plus que 605.

1. Tirés à 1 300 exemplaires pour une édition commerciale de 100 000, certains prennent vite de la valeur : *La Partie de chasse* de Bilal et Christin (Dargaud) cotait 1 000 F en novembre 1983 (prix de départ : 330 F).
2. A ce sujet lire J.-P. Morel, *Pré-enquête sur le marché de la BD,* Ministère de la Culture, 1989.

Mickey et *Pif* ont une clientèle constante ; *Spirou* (hebdomadaire) publie des histoires par épisodes, ce que faisait *Tintin* qui, devenu *Tintin Reporter* en 1988, s'arrêtera en 1989. *Schtroumpf* s'adresse aux plus jeunes.

	Mickey	Pif, mensuel en 93	Spirou	Tintin
	Vente moyenne hebdomadaire (OJD)			
1971	340 008	375 531	87 703	108 372
1978	428 335	429 432	104 726	96 357
1984	325 648	non contrôlé	44 569	29 089
1987	272 561	240 000	30 979	25 000*
1989	224 500	205 000	(1988) 27 530	

Dès 1978, de nouveaux magazines (ou d'anciens « nouvelle » formule) s'adressent avec succès à un public de « grands adolescents » et d'adultes qui voient la décennie se terminer sur la disparition de *Charlie Mensuel, Pilote* et *Circus* ; dès 1992, c'est au tour de *Vécu* et *Hello BD* (« héritier » de *Tintin Reporter*) de jeter l'éponge. Quant à *Charlie Hebdo* né en 1970, mort en 1982, il renaît en 1992.

	Pilote	(A suivre)	Charlie Mensuel
	Vente moyenne mensuelle (OJD)		
1978	(1979) 56 992	53 320	n° 1, mars 1982
1982	55 815	53 260	57 728
1986	37 233	45 121	fondu avec Pilote
1989	non contrôlé	38 641	

	Circus	Métal Hurlant	Fluide Glacial
	Vente moyenne mensuelle (OJD)		
1978	20 000*	48 000*	37 600*
1982	40 000*	76 305	71 200*
1986	42 421	non contrôlé	88 000*
1989	(1988) 24 753		87 000*

* Chiffres de l'éditeur.

B) *L'industrie autour de la BD.* — La notoriété des héros de BD et de leurs auteurs ne connaît aucune limite, même géographique : en 1982 la Société belge d'Astronomie baptise « Hergé » une petite planète située entre Mars et Jupiter pour fêter l'anniversaire du dessinateur, et en 1989 partit de Kourou la fusée RG, réplique améliorée du prototype hergéen. Dans le monde entier, les super-héros apposent leur image partout, au point que ce secteur est plus rentable que la BD elle-même.

Superman est un des meilleurs commerçants du monde : il fait vendre des bombes désodorisantes et des brosses à dents et incite même les particuliers à ouvrir un compte en banque. La Compagnie Marvel a créé, en 1965, la Merry Marvel Marching Society, sorte de club de fans spécialisé dans la commercialisation d'objets variés à l'image de ses héros : T-shirts, badges, papier à lettres... En août 1983, Jerry Siegel, l'un de ses créateurs, confie au magazine américain *Nemo* : « Un jour j'ai lu un article... rapportant de quelle façon rentable Stephen Slesinger exploitait le personnage de Tarzan. Et j'ai pensé : Wow! Superman est encore plus chouette que Tarzan ; la même chose pourrait se passer avec Superman. Et je l'ai dit à Joe, il trouva l'idée formidable et deux jours plus tard il avait réalisé un grand dessin de Superman montrant les différentes possibilités d'exploitation du personnage : sur les couvercles de boîte, les T-shirts... »

Le monde entier est envahi par les *Peanuts* de Schulz. Déjà en 1957, Hergé créait de la vaisselle *Tintin* fabriquée par une faïencerie française. Les personnages de Walt Disney sont depuis longtemps installés dans notre vie quotidienne, en particulier *Mickey*. En 1991 *Les Bidochon* font de même. Les pochettes de disques ne sont pas en reste (cf. exposition à Blois 91 et *Trésor de la BD*, 8e éd.). En 1993 *Les Triplés* de N. Lambert ouvrent leurs boutiques.

Néanmoins l'utilisation de héros de BD peut avoir un but non mercantile : l'histoire de Gilbert Batman, policier à Cleveland (Ohio), en est l'exemple. Pendant des années, les farceurs lui ont régulièrement conté au téléphone les exploits de son célèbre homonyme. La banque du sang, pensant que si Batman donnait le sien il encouragerait les jeunes à faire de même, a offert le rôle au policier qui l'a obligeamment accepté.

La célébrité quasi universelle des héros de BD américaine représente une réussite incontestable confirmée par une diffusion croissante. La BD d'expression française commence à pénétrer le marché américain. Seul Moebius y est vraiment consacré. Les *Schtroumpfs* n'existent là-bas que par le *merchandising*.

En 1983 une exposition promeut les BD franco-belges à New York : *Astérix* (déjà en 1977, un « syndicate » l'a publié simultanément dans 215 journaux), *Lucky Luke, Les Schtroumpfs* rebaptisés *Smurfs, Achille Talon* devenu *Walter Melon* ; *Marie-Gabrielle* de Pichard voit l'Amérique puritaine lui fermer ses portes.

II. — Participation
des lecteurs à la création

Celle-ci intervient de trois façons :

1. **Le courrier des lecteurs.** — Les Américains s'y expriment librement, critiquent ou encensent les artistes (que ce soit le scénariste, le dessinateur ou même l'encreur !). Ils font des suggestions et réclament parfois le départ d'un artiste qui ne convient pas au personnage, selon eux. Ils « fabriquent » la réputation des jeunes dessinateurs (ou la détruisent !). Pour ressusciter le *Surfer d'Argent* Stan Lee s'est souvenu « de nombreuses lettres sur le *Surfer*... qui soulignaient le fait qu'il semblait avoir un charme quasi religieux » (*Surfer d'Argent,* Casterman, p. 2). En France le magazine *Strange* (Semic) consacre une page au courrier, mais ne publie que les super-héros de Marvel et ne peut ainsi transmettre aux artistes les avis de leurs admirateurs ; par contre les lecteurs, très au courant des parutions américaines, demandent des épisodes récents à la place des sempiternelles rééditions. Certains évoquent l'intérêt commercial : « ... Le graphisme et le scénario de cette bande sont extraordinaires... Ne ratez pas cette occasion, c'est un nouvel éditeur... Et vous avez là une occasion de saisir un monopole... » (les éditions interpellées ont immédiatement réagi à ce dernier propos. Malheureusement les Américains répondirent avec un

certain délai — un an! — et traitèrent entre-temps avec un concurrent). Lorsqu'il s'agit, comme c'est ici le cas, de BD étrangères adaptées en français, les lecteurs achètent parfois la version originale et comparent. Si leurs connaissances linguistiques le leur permettent, ils confrontent original et traduction et repèrent les erreurs. En ce qui concerne le graphisme, les critiques reprochant la suppression de détails (par exemple, un personnage sérieusement touché par la lame d'une épée ne saigne pas dans la version française) ou même celle de plusieurs pages (cf. *Serval,* Marvel-Lug-Sémic) devraient plutôt s'adresser à la Commission de surveillance qui amène les éditeurs à s'autocensurer. Ceux-ci s'en expliquent, et surtout s'en excusent, dans le courrier des lecteurs.

Le Journal de Tintin offrait à ses lecteurs une double page pour s'exprimer. *Le Journal de Mickey* ne publie, dans sa rubrique « La boîte aux lettres », que les questions d'ordre général (« Où peut-on écrire au commandant Cousteau ? ») et les demandes de correspondants. Le reste des lettres provient pour 80 % des enfants qui s'adressent aux personnages : « Mickey, pourquoi n'as-tu pas encore épousé Minnie ? », et pour 20 % d'adultes (parents et grands-parents) qui souhaitent certaines rééditions.

2. **Les sondages organisés par les magazines de BD.** — C'est aux Etats-Unis, où, devant le nombre incommensurable et croissant de *comic books*, l'imagination des auteurs commençait à tarir, que cette pratique a été mise au point. Le domaine des super-héros, partagé il y a une dizaine d'années entre deux grandes compagnies, DC et Marvel, a été le terrain de prospection. Les idées contenues dans le courrier ont été quelquefois utilisées à différents niveaux : le scénariste Pasko adoptait certaines propositions, mais jamais sans les payer précisait-il ; son collègue Chris Claremont était un « fan » qui envoyait des scénarios, et un beau jour il s'est retrouvé scénariste à part entière. A la fin des années 70, le phénomène superhéros s'essouffle et Marvel interroge ses lecteurs pour trouver le remède (*X-Men,* n° 137, sept. 1980) : « Quel est le super-héros que vous préférez, et pourquoi ? — Quel

est le personnage que vous aimez *le moins* et que pouvons-nous faire pour l'améliorer? — Quelles transformations apporteriez-vous dans l'univers de Marvel pour qu'il puisse faire face aux défis des années 80? » Dix ans plus tôt, DC cherchait déjà à connaître les goûts de ses lecteurs pour leur proposer des héros à leur convenance (*Hot Wheels,* n° 4, sept.-oct. 1970). Pour encourager les jeunes à répondre, les compagnies offrent des récompenses. Ces enquêtes sont ensuite soumises à une étude de marché qui permet de juger de l'opportunité de lancer un nouveau « produit » et du choix de celui-ci.

Depuis 1982, une nuée de petites compagnies a envahi le marché. L'accueil optimal qui leur a été réservé est justifié par le besoin de renouveau que DC et Marvel, malgré leurs tentatives, n'arrivaient pas à satisfaire totalement. Fin 1983, l'une d'entre elles, Pacific Comics, demande également aux lecteurs de se situer sur une échelle de culture, de professions, de revenus, de révéler quelques-uns de leurs goûts et de choisir parmi différents genres de BD ceux qu'ils aimeraient voir exploiter. Là, on n'attribue aucun prix, car ces compagnies, contrairement à Marvel et DC soutenues par d'importantes sociétés, sont indépendantes et disposent de moyens financiers très limités.

En France, *Le Journal de Tintin* organisait un référendum une fois par an pour demander quels étaient les dessinateurs favoris et publiait ensuite les résultats. *Le Journal de Mickey* utilise le biais de son éditorial intitulé « Le billet d'Onc'Léon » pour sonder les centres d'intérêt des enfants : ainsi, à la suite de la lettre d'une jeune fille de 13 ans qui s'était amusée à noter chaque page de la revue, couverture comprise, la rubrique d'Onc'Léon demanda aux jeunes de noter les histoires.

3. **Les fanzines.** — Comme leur nom l'indique ce sont les magazines des fanatiques. Ces revues, imprimées ou polycopiées, sont l'œuvre de non-professionnels qui y expriment leur opinion sur les BD et les artistes, certaines essayant même de promouvoir de jeunes talents. Ce phénomène important aux Etats-Unis leur permet de s'impo-

ser aux côtés des revues officielles ; parmi les plus renommés, on trouve : *The Comics Journal, Comics Feature, The Comics Times, Amazing Heroes, Comics Interview, Comics Scene* (arrêté au numéro 11 pour raisons financières et repris en 1989), *Nemo* (parution irrégulière). En France, ils ont abondé au lendemain de 1968 avec un temps fort entre 1972 et 1974 *(Falatoff, Le Petit Mickey qui n'a pas peur des gros...)*. En quinze ans, plus de 1 000 fanzines ont apparu et disparu ; aujourd'hui, ils sont reconnus officiellement malgré leur marginalité ; en effet un prix (Alfred Fanzine de 82 à 88 et Alph-Art Fanzine depuis) est décerné à Angoulême au meilleur fanzine de l'année (en 1983 *Dommage,* en 1984 *Lardfrit,* en 1985 *Pizza,* en 1990 *Le Lézard,* en 1992 *Hop...*).

A la disposition des amateurs : *Le Collectionneur de BD, Scarce* (consacré aux super-héros américains), PLG, *Sapristi !, Sortez la chienne, Le Goinfre, Racaille, Polemicker, Rumeur, Lapin* (édité par J.-C. Menu de *L'Association*). La Suisse propose *Réciproquement, Sauve qui peut, Ink, Champagne* et la Belgique *Rêves-en-Bulles,* entre autres...

III. — La BD et les autres médias

1. La télévision, le cinéma et le théâtre. — A) *Les dessins animés.* — Une BD est une suite d'images fixes. Le lecteur imagine, selon les directives suggérées dans le dessin précédent, ce qui se passe dans l'intervalle séparant ce dernier du dessin suivant. Le dessin animé permet de saisir chaque mouvement dans son entier mais certaines décompositions réalisables sur papier ne le sont plus lorsque les images s'animent : Morris cite les problèmes posés par la scène où Lucky Luke a un verre à la main, tire et reprend le verre qui n'a pas eu le temps de tomber tant l'action était rapide, ce gag n'a pu être mis au point dans le dessin animé. L'école franco-belge et l'école américaine, en particulier, ont vu leurs héros « bouger » :

a) *Personnages français ou belges.* — *Astérix,* 7 films de 1967 à 1994. — *Lucky Luke,* 1971, 1978 : 2 films conçus, mis au point et produits en Europe tandis que celui de fin 1983 est réalisé par une association Gaumont — Hanna et Barbera qui permit la distribution de ce film aux Etats-Unis. Les Américains en ont profité pour préparer des épisodes de 26 mn destinés à la télévision (NBC pour les Etats-Unis, FR3 pour la France) ; 1991, 26 épisodes de 26 mn. — *Les Pieds Nickelés* (6 aventures entre 1917 et 1919). — *Pif et Hercule :* 130 épisodes de 11 mn ; 1 film en 1993, 80 mn. — *Quick et Flupke.* — *Les Schtroumpfs* (courts métrages animés : 2 en 1960, 1 en 1961, 2 en 1963, 2 en 1964 et 3 films entre 1975 et 1984). — *Spirou et Fantasio :* 26 épisodes de 30 mn, 1994. — *Tintin :* 102 épisodes télévisés de 5 mn entre 1956 et 1959 ; 2 films (1969, 1972) ; 1992, 39 épisodes de 26 mn.

La France produit peu de dessins animés, et même les personnages français partent s'animer à l'étranger. Un constat s'impose, la France n'a pas de véritable infrastructure : aucune entreprise ne peut répondre aux besoins de la télévision (à raison d'un épisode par semaine, il faudrait 52 fois 26 minutes de dessins animés ; à titre indicatif la Société Française de Production en a produit 4 heures en 1982). Actuellement le Japon, avec 1 800 épisodes de 26 minutes par an, domine le marché. Les Etats-Unis tiennent une moyenne de 52 à 65 épisodes par an, production dont certaines étapes sont sous-traitées à Taiwan ou en Corée. C'est la raison pour laquelle il a été mis sur pied une structure de production industrielle de dessins animés, avec quatre objectifs prioritaires : répondre aux besoins internationaux croissants de demandes de dessins animés ; créer une dynamique entre l'industrie informatique et les industries culturelles ; donner à la France son indépendance en matière de production ; développer une *technologie de pointe* pouvant être exploitée. Mais les prix français ne sont toujours pas compétitifs, l'école d'animation de Blois n'a pu survivre. A titre d'exemple, en 1993, un épisode de *Goldorak* fabriqué au Japon comprend 7 images-seconde et coûte 20 000 F tandis qu'un épisode américain a 20 images-seconde et qu'un épisode français revient à 30 000 F. Même *Objectif Tintin* (Ellipse, 1993) a vu ses 39 dessins animés atteindre 90 MF, le double d'une série standard (cf. *Capital* n° 22).

Les dessins animés s'adressent souvent aux 8-12 ans.

Le dessin animé en 1984

	Diffusion par an	Productions originales	Chiffre d'affaires annuel	Prix moyen à la minute
France	400 h	200 h	360 MF	30 000 F
Japon	780 h	500 h	1 500 MF	19 000 F

(Extrait du Rapport Recherche-Image de Stourdze et False.)

b) *Les personnages américains.* — *Batman,* épisodes télévisés (1968 à 1970 ; 1993). — *Bucky O'Hare,* 1992. — *Bringing up Father,* de Bert Green. — *Charlie Brown,* long métrage, 1969, et de nombreux épisodes TV. — *Dick Tracy,* 1961. — *Fantastic Four,* épisodes télévisés (1976 et 1980). — *Felix the Cat,* 8 en 1925, 27 en 1926, 27 en 1927 et 16 en 1928. — *Fritz the Cat,* 1972 (avec une suite, 1974). — *Hulk,* 1980. — *The Katzenjammer Kids,* 3 (à partir de 1938). — *Li'l Abner,* 3 en 1944, 1 en 1945. — *Mickey Mouse,* 4 en 1928, 11 en 1929, 9 en 1930, 12 en 1931, 14 en 1932, 12 en 1933, 9 en 1934, 8 en 1935, 9 en 1936, 9 en 1937, 5 en 1938, 2 en 1939 (+ un film publicitaire), 2 en 1940 (+ un long métrage), 6 en 1941, 3 en 1948, 1 en 1949, 2 en 1951, 1 en 1952, 1 en 1953. — *Popeye,* plus de 200 épisodes déjà réalisés en 1933, et 175 épisodes pour la télévision de 1961 à 1963. — *Prince Valiant,* 52 épisodes de 26 mn ; 1 film en 1992. — *The Simpsons,* épisodes TV. — *Spiderman,* 1976. — *Superman,* Fleisher en réalisa 1 en 1941 et 7 en 1942, Kneitel 2 en 1942, Sparber 2 en 1943 et Gordon 2 en 1943. — *Starwatcher,* de Moebius, 80 mn, images de synthèse, 1992.

B) *Les films*[1]. — Le passage du papier à l'écran, au-delà des difficultés d'adaptation, peut se révéler une véritable trahison de par la spécificité des techniques employées. Si certaines libertés graphiques sont irréalisables au grand écran, la BD aussi ne peut rendre des mouvements (comme le *travelling*) ni surtout le son, ce qui la limite au niveau de la symbolique de l'image (cf. *Au bon plaisir de Tardi*, France Culture, 20 avr. 1985). Quant à l'indéniable complicité des deux genres, Manara l'a prouvée en racontant *Le voyage à Tulum* sur un projet de Fellini.

a) *Personnages français ou belges.* — *L'amour-propre,* 1985, de Veyron. — *Barbarella,* 1967, de R. Vadim. — *Bécassine,* 1939, de P. Caron. — *Bibi Fricotin,* 1950, de M. Blistène. — *Chlorophylle,* 1992, 52 épisodes de 13 mn (marionnettes et animaux). — *Le Déclic,* 1985, de J.-L. Richard. — *Docteur Justice,* 1975, de Christian-Jaque. — *La Famille Fenouillard,* 1960, d'Y. Robert. — *Gros Dégueulasse,* 1985, de Zinconne. — *Je vais craquer,* 1980, adaptation de *La Course du rat* de Lauzier par F. Leterrier. — *Léonard,* 52 épisodes de 13 mn. — *Lucky Luke,* 1989,

1. J.-P. Tiberi, *La bande dessinée et le cinéma,* Paris, B. Diffusion, 1981 ; *Cinéma et bande dessinée,* Collectif, Cinémaction Corlet-Télérama, 1990.

26 épisodes de 26 mn et 13 films de 60 mn. — *Paulette*, 1986, de Confortès. — *Les Pieds Nickelés*, 1948 et 1950, de M. Aboulker; 1964, de J.-C. Chambon. — *P'tit Con*, 1984 (d'après *Souvenirs d'un jeune homme médiocre* de Lauzier). — *Le Roi des cons*, de C. Confortès. — *Superdupont*, court métrage de 15 mn réalisé au début des années 80. — *Tanguy*, épisodes TV, 1966. — *Tintin : Le Mystère de la Toison d'Or*, 1960, de Barret et Vierne; *Les Oranges bleues*, 1964, de Condroyer. Mais conçu pour la BD, Tintin n'a pas pu s'en sortir avec succès. — *Michel Vaillant*, 63 épisodes de 30 mn. — *Vive les femmes*, 1984 (après le théâtre, le cinéma reprend cette satire de Reiser).

b) *Personnages américains*. — *Batman*, 15 épisodes de Hillyer en 1943; 1 film de Bennet en 1949 et 2 de Burton en 1989 et 1992; 1 série en 1956-1957; 1 long métrage en 1966; 1 série télévisée en 1966 avec Adam West qui tournera un *Batman* en 1967 avec Martinson. — *Blondie*, 15 films de Strayer de 1932 à 1943, 8 films de Berlin de 1945 à 1947, 6 films de Bernds de 1948 à 1950 et 1 série télévisée en 1954. — *Bringin' Up Father (La Famille Illico)*, 1 film de Conway, 1928; 4 autres entre 1946 et 1950, de Cline et Beaudine. — *Brick Bradford*, 15 épisodes de Bennet. — *Buck Rogers*, 1 film, 1939, de Beebe et Goodkind, 1 autre imaginant le héros au XXVe siècle, en 1979, de Haller. — *Captain America*, 15 épisodes d'English en 1944; 1 film de Nagy en 1979. Il existe une parodie de ce personnage : *Captain Mom*, court métrage sur un super-héros patriotique raté. En 1983, Mora met en scène *Captain Invincible*, un super-héros condamné pour subversion par le sénateur McCarthy et devenu depuis un ivrogne, qui revient sauver son pays à la demande du Président. Là encore, on ressent l'empreinte de Captain America. — *Captain Marvel*, 12 épisodes de 15 mn intitulés *Le Scarabée d'or*, en 1941, de Whitney et English. — *Dennis the Menace*, 1993, de Castle. — *Dick Tracy*, 7 films de 1937 à 1952, de Taylor et James, de Whitney et English, de Rawlins; 1 série télévisée en 1951-1952; 1945 (film de Berke); 1946 (film de Douglas); 1990 (film de Beatty). — *The Fantastic Four*, 1992, de Corman. — *Flash Gordon*, 1 film en 1935, de Browner et Eason; 3 films entre 1936 et 1940, de Stephani, Beebe et Hill, et Taylor; 1 en 1980, de Hodges; 1 en 1992; série TV. — *Gwendoline*, cette héroïne sexy créée en 1946 par John Willie devient de chair en 1984 avec Just Jaeckin. — *Hulk*, 80 épisodes avec B. Bixby en 1977. — *Li'l Abner*, en 1940, film de Rogell et 2 autres dans les années 50 de Kidd et de Frank ainsi qu'une série télévisée de 13 épisodes de 24 mn. — *Little Orphan Annie*, 1925, de Beaudine. — *Lucky Luke*, 1991, de et avec T. Hill. — *Mandrake*, 12 épisodes en 1939, de Nelson et Deming; projet avorté de l'Anglais Temple en 1983. — *The Phantom*, 15 épisodes d'Eason en 1943. — *Popeye*, film d'Altman, en 1981. — *Prince Valiant*, 1954, d'Hathaway. — *Rocketeer*, 1991, de Johnston. — *Spiderman* : 2 films (1977, de Swackhamer, et 1978, de Satlof ; 13 épisodes en 1978). — *Steve Canyon*, 13 épisodes en 1958. — *Superboy*, 99 épisodes en 1988. — *Superman*, 15 épisodes de Bennet et Carr en 1948 ; 15 autres de Bennet en 1950 ; 1 film de Shalem en 1951 avec George Reeves qui reprend le rôle pour 104 aventures, de 1951 à 1957 ; et enfin trois *Superman* en 1978 (de Donner), en 1980 (de Lester) et en 1983 (de Lester) avec Christopher Reeves. Siegel, co-créateur du héros, interrogé sur les derniers films (cf. *Nemo*, n° 2, 1983), répondait : « J'ai trouvé que Christopher Reeves était formidable en Superman. Il a vraiment saisi le sens de l'humour que Joe et moi-même avions voulu mettre dans le personnage à ses débuts. » N'oublions pas le *Superman Radio Show* (auquel Batman a participé dans les années 40). — *Tarzan* : le premier d'une nombreuse série (43 films lui sont consacrés entre 1918 et 1981) est dirigé par Sidney ; le plus célèbre est certainement celui de Van Dyke avec Johnny Weissmuller en 1932. L'acteur reprendra ce rôle en 1934 sous la direction de Gibbons, en 1936 de Mac Kay, en 1939, 1941 et 1942, de Thorpe, en 1943 : 2 films de Thiele, en 1945, 1946 et 1947, de Neuman, en 1948, de Florey. Parmi les nombreux acteurs à avoir « été » Tarzan, citons Lex Barker (de 1949 à 1953), Gordon Scott (de 1955 à 1960), Ron Ely (de 1967 à 1968) et Miles O'Keefe (en 1981). — *Terry and the Pirates*, 15 épisodes de Horne en 1940. — *Wonder Woman*, 58 épisodes avec L. Carter en 1976.

C) *Le théâtre.* — L'adaptation au théâtre d'une BD n'est pas chose facile (cf. *Cahiers de la BD* n°s 65 à 67). En 1922, A. Bolm conçoit un ballet autour du personnage de Krazy Kat. Li'l Abner triomphe à Broadway en 1956 (avec Peter Palmer). Superman apparaît, le 29 mars 1966, à Broadway dans *It's a bird... It's a plane... It's Superman* ! Cette comédie musicale (qui tiendra peu l'affiche) sera filmée pour la télévision (il y en aura une seconde en 1970). En France, mai 1968 voit s'incarner les personnages de Wolinski qui racontent à leur manière et sans censure aucune les événements de la journée (*Je ne veux pas mourir idiot* avec C. Confortès). (C'est à partir de 1968 qu'*Hara-Kiri* se consacrera particulièrement à la satire politique.) Wolinski aura également du succès avec : *Je ne pense qu'à ça* et *Le Roi des cons*. Le super-héros 100 % français *Superdupont* continue sur scène sa lutte contre l'Antifrance (spectacle de J. Savary), « armé » de ses charentaises et de son béret basque. L'année 83 assiste au triomphe de *Vive les femmes* de Reiser. En 1984, la première « dame » du *Nouvel Observateur*, abandonnée par Copi, monte sur les planches dans *La Femme assise* (avec M. Marini et J. Nicolin, mise en scène d'Arias). 1985 nous propose de rire avec *Carmen Cru* et de rêver avec la comédie musicale des *Schtroumpfs*. En 1988 *Astérix* monte sur scène et *Spiderman* « fait son cirque » chez Pauwells. En 1990 on partage la vie des *Bidochon*. En 1992 *Raymond Calbuth* de Tronchet s'exhibe à Avignon.

2. **La publicité.** — Le but est de fixer l'attention sur un produit. Et la publicité suit la mode. La BD et ses héros sont d'excellents promoteurs[1]. On peut les exploiter de trois façons :

A) *La renommée d'un personnage.* — Les vêtements Cacharel ont réclamé Spiderman pour l'une de leurs publicités. — L'ordinateur Hyper 32 de Logabax « ne peut pas tomber en panne », « je dirais même plus, il ne peut pas tomber en panne » : affirment Dupont et Dupond (d'après Hergé, *Le Monde,* 16 sept. 1983).

B) *La réputation d'un dessinateur.* — Citroën réalisait un porte-folio annuel réservé aux concessionnaires et des cartes postales avec la signature de « grands » de la BD. — Les « dessous de la fête » de Paul Gillon, présentation originale de lingerie junior (*Elle,* 15 nov. 1982). — Pour changer des « Tranches de vie », Lauzier fête le bicentenaire Schweppes avec une « Tranche de Schwepping ou la civilisation à 200 ans » (*Le Monde,* 12 avr. 1983). Veyron prédit « La fin du chèque » au Crédit Agricole de Toulouse. Solé (*Mélodimages, Animaleries...*) s'affiche sur *Le Guide du routard* (Hachette). Margerin, Maester, Savard, Bravo et Guyen l'affirment : « Scooter, frayeur, j'ai déjà donné »

---

1. Cf. n° 40 du *Collectionneur de bandes dessinées* (nov.-déc. 1983) p. 11 à 27 ; A. Lachartre, *Objectif Pub,* Laffont-Magic Strip, 1986 ; J. Chaboud, *La BD, outil de communication des entreprises,* Eyrolles.

(agence TBD). — Dupuy et Berbérian vantent « Les bonnes manières d'Archibald », le chien, pour la Mairie de Paris. — Glénat Concept fait la campagne du Gaz de France en 1989, « Silex et Boa » (Bercovici et Corteggiani).

C) *La BD : moyen de communication moderne.* — En 1987 la Mutualité française nous prévient contre *Les MST* (et *Merlot contre le Sida*). Le Crédit Mutuel de Bretagne se veut le partenaire économique des jeunes *(Les Mystères de la Banque)*. En 1992 BD Médias confie à Léthurgie et Isard la réalisation de *Disparitions à la chaîne,* destiné à enseigner aux ouvriers de Renault-Douai les conséquences du chapardage; l'agence Narration parle écologie avec *On a retrouvé la forêt perdue.*

F'Murr, Nicolas   Margerin, STGA

3. **Les manifestations.** — Les années 90 sont fertiles en expositions : ainsi à Paris, *Opéra Bulles* à la Grande Halle de la Villette, érotisme aux Larmes d'Eros, l'art pour l'art à Escale, *La Revanche des Régions* (Goethe Instituts de France et Instituts français d'Allemagne) — *Bédécité,* colloque à la Sorbonne avec Greg, Uderzo, Druillet, Lloyd...

IV. — Le message social
et politique des bandes dessinées

La BD s'attaque rarement à des individus déterminés (parmi les exceptions : *Tonton Marcel,* de Régis Franc). Elle concentre plutôt son intérêt sur des personnages fictifs représentant le pouvoir en place ou la société actuelle qu'elle critique par le biais d'un humour caustique et subversif, ou par celui d'une dénonciation véhémente. En 1992 une lettre du « Manifeste contre le Front national » signalait la présence du dessinateur attitré de *National Hebdo* (journal d'extrême-droite) à une foire organisée par *Bédésup*. Plantu rencontre Arafat et lui fait dessiner le drapeau israélien... Le plus souvent le message est inconscient. Expression de la normalité, il en est d'autant plus significatif.

1. **Message inconscient.** — On a ainsi recherché, à travers des histoires apparemment anodines, les attitudes engagées et les « leçons de morale ». En 1975 des étudiants en sciences politiques se sont penchés sur les rapports Est-Ouest et les tensions raciales dans les aventures de Blake et Mortimer de Jacobs, les orientations politiques d'Hergé (*Le Message politique et social de la BD,* Toulouse, Privat). De nombreux articles de revues (*Droit et Liberté* — Journal du Mouvement contre le Racisme, l'Antisémitisme et pour la Paix —, *Le Canard enchaîné, Actuel, Le Monde, L'Aurore...*) ont traité Tintin de fasciste. Certes l'anti-communisme de l'auteur s'affiche dès la deuxième page de *Tintin au pays des Soviets* : « Il ne faut pas que ce sale petit bourgeois arrive en Russie, il pourrait raconter ce qui s'y passe ! » dit un agent de la Guépéou (la police secrète de Staline), et *Tintin en Amérique* affirme son anti-capitalisme. On a expliqué ces positions par ses contacts avec Léon Degrelle, chef du Mouvement Rexiste (idéologie proche de l'Action Française de Maurras); en 1992 ce dernier va plus loin et clame : « Tintin c'est moi » (cf. *Globe* n° 65). Un idéal « petit-bourgeois » ferait rejeter les deux grands systèmes. Comme le souligne le journal gauchiste bruxellois

Hebdo 76, « le général Alcazar, c'est Castro soutenu par ITT, Tapioca, c'est Pinochet allié au KGB ». N'oublions pas que Tintin a fait échouer la tentative d'*Anschluss* de Müsstler (combinaison de Mussolini et Hitler) en 1938, ni que des termes comme fasciste ou communiste ont des sens différents dans les années 20, 40 ou 80.

Avec la politique, le racisme est le problème le plus souvent évoqué. Lorsque *L'Etoile mystérieuse* est rééditée après guerre, le banquier au nez crochu nommé « Blumenstein » de l'édition de 1942 reste le même physiquement mais devient « Bohlwinkel » (Bollewinkel signifie, en flamand, « petite boutique de confiserie »; la nouvelle orthographe s'est révélée être également un nom israélite). Hergé s'est toujours défendu d'être raciste mais il faut savoir comment ses jeunes lecteurs ont interprété le contenu de ses albums. En novembre 1982, Jean Pierre-Bloch, président de la Ligue Internationale Contre le Racisme et l'Antisémitisme, conscient du risque d'une mauvaise compréhension, dénonçait « le mal que font quelquefois certaines bandes dessinées ». Sans doute pensait-il aux tracts violemment antisémites, distribués dans les rues par les membres d'une secte, et non à Hergé qui fera dire à Tintin dans *Le Lotus bleu* : « Les peuples se connaissent mal », réflexion du héros à Tchang dans une discussion sur leurs races respectives. La LICA avait déjà

1re version
© Casterman

2e version
© Casterman

porté plainte en 1979 contre la secte des Enfants de Dieu (la Famille d'Amour) qui utilisait la BD pour divulguer un antisémitisme de bas étage tant par le graphisme que par le texte : « Les Juifs ont réussi à convaincre leurs ennemis, les Chrétiens, de se battre contre Hitler et, maintenant, ils vont persuader les Chrétiens de se battre contre les Arabes... » *Sic* ! En 1993 Spirou se heurte au racisme ordinaire dans *Le Rayon noir* (Dupuis).

L'inquiétude devant certaines BD, objets de propagande nazie, a amené en 1978 le Parti communiste français à évoquer celles imprimées en Italie et éditées en France, où les auteurs se livrent à « l'apologie du nazisme et de ses chefs » (rappelant *Le Téméraire*, cf. p. 22).

Les personnages de Walt Disney évoluent dans un monde immatériel et une société manichéenne. En 1971, Dorfman et Mattelart soulignent l'impérialisme américain de *Donald* (éd. A. Moreau) : la loi du plus fort et l'exploitation des pays dits non civilisés. Combien de fois Oncle Picsou propose-t-il d'acheter avec des bijoux de pacotille une île recelant des trésors dans son sous-sol ! Les indigènes ne sont jamais invités à participer aux bénéfices.

L'Odyssée d'Astérix a été très bien reçu : « Jamais Astérix ne tombe dans l'antisémitisme. Les personnages juifs qu'il rencontre sur sa route sont sympathiques... » (hebdomadaire *Tribune juive,* 25 déc. 1981). Malgré un côté caricatural certain, Uderzo se défend d'avoir voulu provoquer et déclare : « René Goscinny était juif... Il y a quelques années, l'Office israélien du tourisme nous avait proposé de placer une histoire d'Astérix en Israël. René avait refusé. J'ai voulu faire cet album en son souvenir... ». Ce qui n'a pas empêché les critiques, comme par exemple dans la revue *La Cote des Arts* (janvier 1982), où l'on reproche à Uderzo le nez crochu des personnages sémites et le texte. Le journaliste interroge : « Ce genre de caricature existera-t-elle toujours au XXIe siècle ? »

2. **Message conscient.** — Le message peut se présenter sous divers aspects. Tout d'abord il faut différencier la BD apportant une critique sociale ou politique du support BD utilisé pour faire passer un message. Dans ce dernier cas

le texte prime la représentation graphique et l'image sert à en simplifier la compréhension selon le vieil adage « un dessin vaut mieux qu'un long discours ». Ainsi, en 1980, G. Gardner publie des BD présentant Reagan et Carter comme des personnages naïfs et même stupides. En 1988 *Il était une fois... Jacques Chirac* assure la campagne électorale du maire de Paris. En 1991 *Au Palais du Luxembourg* explique le Sénat (Sibou).

En novembre 1982, l'organisation américaine CORK (Citoyens Organisés pour Remplacer Kennedy) tire à 200 000 exemplaires une BD intitulée : « Chaque famille a une brebis galeuse, ou comment cette brebis peut réussir surtout si elle est riche », avec pour but de détruire le mythe Kennedy et démontrer qu'Edward Kennedy ne peut être candidat à la Maison-Blanche en raison de ses antécédents. Malgré cette tentative suivie avec intérêt par une centaine de milliers d'Américains, le sénateur du Massachusetts est réélu à son poste.

En France, les années 70 ont vu de nombreux conflits et mouvements contestataires utiliser la BD pour attirer l'attention ; voici quelques exemples choisis parmi les « affaires » les plus connues (cf. *En avant vers de nouvelles aventures,* Ed. Larzac Université, 1980) :

— *Le régionalisme,* 1976 : *Iaoo Lo Bearn,* sur l'exploitation économique du Béarn par le capitalisme (album *La Pelera,* Ed. Per Noste) ; 1978 : *Le Breton à l'école* (Nono, *Le Canard de Nantes à Brest,* 13 janv. 1978) ; 1978 : *Barrée noire y en a barre,* le naufrage de l'*Amoco Cadiz* (Nono, *Le Canard de Nantes à Brest,* 24 mars 1978). — *Les paysans,* 1974 : *Hoedic,* le tourisme dans cette île au large de la côte du Morbihan nuit aux paysans (Nono, *Rictus occitan,* n° 14-15, 1974) ; 1976 : *Larzac,* lutte des paysans dès 1971 pour empêcher l'agrandissement du camp militaire sur leur plateau (Cabu : *Charlie-Hebdo,* 18 nov. 1976). — *Le danger nucléaire,* 1977 : *Malville Epopée,* contre le projet EDF d'une centrale géante à Malville (Isère) (Jean Caillon, *Combat non violent,* juin 1977) ; 1978 : *En cas d'excursion nucléaire,* tous les « conseils » pour ne pas paniquer, de toutes les façons, la police est là pour « aider » (*Superpholix,* Journal des Comités Malville, 19 janv. 1978) ; 1976-1980, 1976, l'EDF annonce la construction d'une centrale nucléaire à Plogoff (Finistère), 1980, enquête « d'utilité publique », puis manifestation (Nono, *Le Canard de Nantes à Brest,* 9 juin 1980). — *Les Femmes,* 1967 : *Le MLAC à nouveau poursuivi* (tract BD de la section lilloise du Mouvement pour la Libération de l'Avortement et la Contraception); 1976 : *SOS Femmes battues* (BD de Marie-Laure, *La Criée*, n° 1, 1976); 1977 : *La sale journée d'une vendeuse lilloise*, dénonciation des mauvaises conditions de travail (extrait du *Livre noir du petit commerce*); 1978 : *Clémentine veut savoir*, des lycéennes ont réalisé une BD sur la contraception (Ed. Savelli). — *Les jeunes*, 1973-1974 : *Caserne*, revendications des appelés; 1977 : *La journée d'un Fait-Néant*, les jeunes et l'Agence nationale pour l'Emploi (J.-F. Costet, *Antirouille*, mai 1977). — *Chers Parents*, les études d'un enfant, ça coûte cher aux parents mais ça leur permet de toucher des allocations familiales (Reiser, *L'Insurgé du crassier*, n° 1). — *Le travail*, 1974 : *Les Hors-la-Loi de Palente*, soutien à Lip qu'une multinationale suisse veut restructurer par le biais d'un licenciement massif (album de Piotr et Wiaz); 1974 : *Marche ou Grève*, mobilisation contre le démantèlement des services et la privatisation, le ministre Lelong réplique qu' « ils font un travail d'idiots » (brochure des postiers CFDT de Nice, reproduite dans *Des idiots par milliers*, Ed. Maspero, 1975); 1975 : *Comment devenir patron*, dénonciation du pouvoir et des privilèges des « grands patrons » par les internes à Lyon (*Charlie-Hosto* — parodie de *Charlie-Hebdo*); 1979 : *Longwy*, résistance des ouvriers contre la liquidation de la sidérurgie dans cette région *(L'Insurgé du crassier)*. — *Les consommateurs* : *Le XXᵉ siècle novateur*, 24 dessinateurs donnent leur avis (plutôt négatif!) sur la société de consommation à la demande de la revue *Que choisir?*. — La justice, 1979 : *Que le bourreau fasse son office*, une page de Franquin contre la torture pour Amnesty International; 1979-1980 : *Juge Bidalou, quelques jugements*, ce jeune juge d'instance a rendu des arrêts inhabituels, par exemple, dans le cas d'une contravention pour inscriptions sur la propriété immobilière d'autrui, il en excuse le responsable : « Attendu que le non au chômage ne représente que l'élémentaire droit de réponse à ceux qui disent oui au chômage » (extrait d'une brochure de son comité de défense).

Certains personnages célèbres ont été « prêtés » pour défendre des causes honorables. Le gouvernement américain, à plusieurs reprises, a profité de la popularité de héros de BD pour mener campagne contre tel ou tel fléau.

En 1963 le Président Kennedy confie une mission à *Superman* : pousser la jeunesse à s'entretenir physiquement. Juste avant la parution de cet épisode éclate le drame de Dallas. DC retire immédiatement l'histoire. Néanmoins le nouveau Président Johnson et la famille Kennedy considèrent le programme si important qu'ils désirent le voir publier comme un tribut à sa mémoire : « Tout le monde ne peut pas être un

Superman, mais chacun devrait être en bonne santé et en pleine forme. »

En 1970 Marvel reçoit une lettre de l'Office of Health, Education and Welfare qui, conscient de l'influence des héros de BD sur la jeunesse, souhaite l'introduction des problèmes de la drogue dans les aventures de *Spiderman* qui dira : « ... je préférerais affronter une centaine de super-vilains que de dépendre des drogues dures !... parce que c'est un combat que vous ne pouvez pas gagner ! » (*The Amazing Spiderman,* nº 96, mai 1971). La CCA refuse son approbation puis reconnaît qu'il vaut mieux changer la politique du Code et autorise alors la publication d'histoires présentant la drogue sous son apparence négative, modification qui intervient à la suite de celles annoncées en janvier 1971 (cf. chap. III). En septembre 1971, John Linsay, maire de New York, félicite la parution d'une aventure où *Green Lantern* (nº 85) lutte contre la drogue ; Nancy Reagan, Première Dame des Etats-Unis, prend également position en 1983 en confiant aux *New Teens Titans* (DC) la mission de faire comprendre aux enfants qu'il ne faut pas y toucher. Marvel a autorisé le Département de l'Energie à utiliser Captain America pour promouvoir son programme sur la conservation de l'énergie destiné aux écoliers. Lancée en octobre 1980 lors d'une fête « organisée » par la Première Dame de l'époque, Rosalyn Carter, et sa fille Amy, cette campagne parrainée par Marvel et les soupes Campbell est véhiculée par plusieurs médias : un spot télévisé de 30 secondes et des communiqués radiophoniques de Captain America, et un magazine publicitaire *Captain America and the Campbell Kids,* in *Captain America versus the Energy Drainers.*

Certains dessinateurs ont délibérément choisi la BD pour en faire le témoin des luttes politiques et sociales qui agitent leur époque. Dès la seconde moitié des années 60, la jeunesse américaine proteste contre les politiques extérieure et intérieure de son pays : c'est ainsi que se crée la contre-culture qui donne naissance à la BD *underground.* Le précurseur du genre est Harvey Kurtzman avec *Mad* en 1952 ; en 1960, James Warren propose de diriger *Help,* mensuel plus politisé que *Mad,* mais le lectorat reste le même : étudiants, artistes et intellectuels. L'irrégularité de sa parution amène son éditeur à supprimer le magazine ; Kurtzman et Bill Elder vont chez *Playboy* où ils introduisent les aventures de *Little Annie Fannie* (version libertine d'*Annie la petite Orpheline*).

En 1960 les jeunes manifestent à San Francisco, le Mouvement pour la Liberté d'Expression naît à Berkeley, les partisans pour l'égalité des droits civils protestent contre le racisme et la corruption des Etats du Sud. Les artistes de *Help* collaborent aux revues destinées à soutenir ces mouvements. 1965 : l'année où tout bouge ! Malcom X est assassiné, le Viêt-nam est bombardé et une nouvelle gauche émerge. La BD appartient à tout le monde, et des mouvements extrémistes de droite l'utilisent pour leur propagande. En quatre images, le parti nazi américain montre qu'il faut donner une leçon à ces « nègres qui violent les femmes blanches et leurs enfants et qui se vantent de vouloir éliminer les Blancs ». (Il est affligeant de constater que cela leur permet de recruter des membres...)

La France sent elle aussi ce mouvement de révolte contre l'ordre établi ; au début de l'année 1966, un petit groupe d'étudiants strasbourgeois rentre en contact avec l' « Internationale Situationniste » et fonde une « Société pour la

© 1984, Catherine Beaunez

Reiser, *Gros Dégueulasse*
1982 © Albin Michel

réhabilitation de Marx et Ravachol », ils couvrent les murs d'un poster intitulé *Le Retour de la colonne Durutti*. Le Mouvement du 22 mars et les événements qui s'ensuivent sont très vite interprétés en BD. L'équipe d'*Hara-Kiri* trouvera dans cette révolution sociale matière à s'amuser. Car si leur humour est grinçant à l'égard de la société, ils ne se prennent pas au sérieux, même lorsque le moment est grave : en janvier 1984, les amis de Reiser (mort le 5 nov. 1983) lui dédient un numéro spécial : *Reiser va mieux : il est allé au cimetière à pied* (outre les signatures des anciens : Wolinski, Gébé, Willem... il y a des planches de Catherine Beaunez, Carali...).

En 1989 les événements d'Europe de l'Est n'ont pas laissé indifférents les artistes de BD. Sous l'égide de Christin et Knigge, Sienkiewicz, Bilal, Moebius, Cabanes, Mora, Goetzinger... ont traduit leurs impressions en BD *(Après le Mur)*.

Le XXe siècle se termine avec une « punition divine » (!) pour nos « débordements sexuels » (?) des années 1970. La BD s'attaque au fléau : *Jo* (Derib), *Les Aventures du latex* (Denis, Varenne, Swarte...), *Sida Connexion* (Sicomoro et Moliterni), *Nous les jeunes, le SIDA on en parle* (Boëm, sur un scénario des élèves du Lycée Foch de Rodez, Aveyron), *L'Avenir perdu* (Goetzinger, Jonsson, Knigge).

Bilal, *Après le Mur*
1990 © Les Humanoïdes
Associés

Y. Chaland, *Bob Fish*
1982 © Magic Strip

CONCLUSION

La bande dessinée est universelle, elle s'adresse aussi bien aux personnes peu cultivées qu'aux universitaires, elle n'appartient pas à une classe sociale définie, de l'ouvrier au cadre supérieur les BD circulent. La BD adopte divers genres : de celle dite « de gare » (d'une qualité très inégale aussi bien en ce qui concerne les dessins que les textes) à la BD réputée sérieuse. Même les ouvrages les plus doctes l' « empruntent ». P. Bourdieu (*Ce que parler veut dire,* Fayard, 1982) a eu recours au talent de Mézières : « La bande dessinée... constituait un mode d'expression tout à fait adapté à l'intention de l'article qui était entre autres de "défétichiser" Marx et surtout ses commentateurs. »

La BD est un moyen d'expression, un véhicule de la culture de masse et de son idéologie mais aussi un art. Les BD sont le reflet de leur époque. Nous ne croyons pas à l'existence d'un âge d'or car il faut laisser aux dessinateurs à venir l'espoir de marquer leur temps, leur faire croire que le meilleur est passé reviendrait à étouffer le désir créatif. Des artistes expérimentent ce champ illimité (*Labo en BD,* 1 seul numéro, Futuro, 1990, et *Nu,* Bouygues Tisac, 1990). Ces récits en images qui nous fascinent sont en quelque sorte des réservoirs de l'imaginaire, mais des réservoirs sans fond. La révolution technologique de la fin du XXᵉ siècle a atteint la BD ; aujourd'hui, le stylo électronique et l'ordinateur cohabitent avec le crayon, le feutre et la peinture (cf. *Cahiers de la BD,* nᵒˢ 68 à 72). Lichtenstein, Wahrol et Basquiat s'en sont inspirés, mais comme Moebius le craint : « Celui qui pratique cet "art mineur" est chassé du paradis de l'art vrai. » Pourtant le plaisir de lire une BD reste fort « et qui donc se préoccupe, en définitive, de ce que peuvent dire les gardiens de l'art... même vrai ? »[1]. Le 9ᵉ art suggèrera-t-il l'art du XXIᵉ siècle ?

---

1. *Quatre-vingt-huit,* Casterman, 1990, p. 60 et 62.

BIBLIOGRAPHIE[1]

OUVRAGES BIBLIOGRAPHIQUES

Bera (M.), Denni (M.), Mellot (Ph.), *Trésors de la bande dessinée. Catalogue encyclopédique 1993-1994*, Ed. de l'Amateur, 9ᵉ éd.
Kempkes (W.), *Bibliographie der internationalen Literatur über Comics*, Munich, Verlag Dokumentation, 2ᵉ éd., 1974.
Overstreet (R.), *The Comic Book Price Guide 1993*, Cleveland (annuel), 23ᵉ éd.
Répertoire professionnel de la BD francophone, Cercle de la Librairie (annuel).
Scott (R. W.), *Comic Books and Strips, An Information Sourcebook*, Phoenix, Oryx Press, 1988.
Tilleuil (J.-L.), Bibliographie générale sur la bande dessinée, in *La bande dessinée à l'Université... et ailleurs*, Louvain-la-Neuve, 1984, p. 261 à 415.

OUVRAGES GÉNÉRAUX

L'Année de la BD, Glénat (annuel, jusqu'en 1987-1988), repris par Dargaud en 1992 : *Toute la BD*.
The Art of the Comic Strip (éd. spéciale des nᵒˢ 159 et 160 de la revue *Graphis*), Zurich, 1972.
Bande dessinée et figuration narrative, Socerlid-Musée des Arts décoratifs, 1967.
Benton (M.), *The Illustrated History of Comics*, 6 vol., Dallas, Tailor Publ. Comp., 1982-1993.
Bronson (Ph.), *Guide de la BD*, 1984 ; rééd. Glénat 1986.
Couperie (P.), Filippini (H.), Moliterni (Cl.), *Encyclopédie de la bande dessinée*, Serg, 2 vol. parus, 1974-1975.
Crawford (H. H.), *Encyclopedia of Comic Books*, NY, 1978.
Encyclopédie des bandes dessinées, Alessandrini (M.), dir., Albin Michel, 1979 ; rééd. 1986.
Filippini (H.), *Dictionnaire thématique des héros de BD*, 6 vol. à paraître, Glénat, 1992.
Fremion (Y.), *L'ABC de la BD*, Tournai, Casterman, 1983 ; *Guide de la Bédé francophone*, Syros, 1990.
Glénat (J.), Martens (T.), Sadoul (N.), Filippini (H.), *Histoire de la BD en France et en Belgique*, Glénat, 2ᵉ éd., 1984.
Goulard (R.), *The Encyclopedia of American Comics*, NY, Facts on File, 1990.

---

1. Lorsque le lieu d'édition n'est pas indiqué il s'agit de Paris.

Histoire mondiale de la bande dessinée, Moliterni (Cl.), dir., P. Horay, 1980 ; rééd. 1989.

Inge (T.), *Comics as Culture*, Jackson, University Press of Mississippi, 1990.

Kunzle (D.), *The History of the Comic Strip, The Nineteenth Century*, Berkeley, University of California Press, 1990.

Lacassin (F.), *Pour un neuvième art, la bande dessinée,* coll. « 10-18 », 1971 ; rééd. Slatkine, 1982.

Martin (A.), *Historia del comic español : 1875-1939,* Barcelone, Gustavo Gili, 1978.

O'Sullivan (J.), *The Great American Comic Strip,* Etats-Unis, Little, Brown and Company, 1990.

Perry (G.), Aldridge (A.), *The Penguin Book of Comics,* Londres, 1967, rééd. 1971, 1975.

Peeters (B.), *La bande dessinée,* Flammarion, 1993.

Pierre (M.), *La bande dessinée,* Larousse, 1976.

Quella-Guyot (D.), *La bande dessinée,* Desclée de Brouwer, 1990.

Renard (J.-B.), *Clefs pour la bande dessinée,* Seghers, 1978 ; rééd. 1985.

Robinson (J.), *The Comics : An Illustrated History of Comic Strips Art,* NY, Putnam, 1974.

Sabin (R.), *Adult Comics,* Londres, Routledge, 1993.

Weist (J.), *Original Comic Art,* NY, Avon Books, 1992.

QUELQUES OUVRAGES ET THÈSES
SUR DES ASPECTS SPÉCIFIQUES DE LA BD

Outre ceux cités dans le corps du texte :

Ajame (P.), *Hergé,* Gallimard, 1991.

Animaux en cases, collectif, Futuropolis, 1987.

La bande dessinée et son discours, *Communications,* n° 24, 1976.

Baron-Carvais (A.-I.), *L'évolution des super-héros dans la bande dessinée aux Etats-Unis,* thèse 3ᵉ cycle, Paris X, 1981 ; *La Revanche des Régions,* Glénat-Concept/Goethe Institut, 1992.

Biscéglia (J.) et Brod (S.), *Underground USA,* Corps 9, 1986.

Bourgeois (M.), *Erotisme et pornographie dans la bande dessinée,* Glénat, 1978.

Canemaker (J.), *Winsor McCay, His Life and Art,* NY, Abbeville Press, 1987.

Chante (A.), *Images de l'armée dans la BD pour enfants et adolescents : recherches épistémologiques,* thèse 3ᵉ cycle, Montpellier III, 1982.

Coll. « Nos Auteurs », Lombard (Cuvelier, Jacobs, Derib, De Moor).

Coll. « Les Auteurs par la bande », Seghers (Bilal, Pratt, Hergé, Goscinny).

Colloque de Cerisy, *Bande dessinée,* Futuropolis, 1988.

Les conflits dans la BD, *Les Cahiers de Montpellier,* n° 10, Université Paul-Valéry, 1984.

Daniels (L.), *Marvel,* NY, H. N. Abrams, 1991.

Davidson (S.), *The Penguin Book of Political Comics,* Londres, 1982.

Douvry (J.-F.), *Grand Atlas des pays imaginaires de la BD,* Grenoble, Phénix, 1991.

Evrard (D.) et Roland (M.), *Giordinne, éditeur liégeois,* Belgique, Deville Graphic, 1992.

Frémion (Y.) et Joubert (B.), *Images interdites,* Syros, 1989.

Fresnault-Deruelle (P.), *La bande dessinée. Essai d'analyse sémiotique,* Hachette, 1972 ; *Récits et discours par la bande,* Hachette, 1977 ; *L'Eloquence des images,* PUF, 1993.

Glasser (J.-C.), *Funnies,* Futuropolis, 1984.

Goddin (P.), *Hergé et Tintin reporters,* Lombard, 1986 ; *Hergé et les Bigotudos,* Casterman, 1990 ; *Comment naît une BD, par-dessus l'épaule d'Hergé,* Casterman, 1991.

Groensteen (T.) et Martin (J.), *Avec Alix,* Casterman, 2ᵉ éd., 1987.

Herman (P.), *Epopée et mythe du western dans la bande dessinée,* Glénat, 1982.

Interviews Vertige Graphic (Manara, Breccia, Moebius).

Kurtzman (H.), *My Life As a Cartoonist,* NY, Pocket Books, 1988 ; *From Aargh ! to Zap !,* NY, Prentice Hall Press, 1991.

Lecigne (B.), *Avanies et mascarades,* Futuropolis, 1981 ; *Les héritiers d'Hergé,* Bruxelles, Magic-Strip, 1983.

Little Nemo au pays de Windsor McCay, coll., Angoulême, CNBDI/Milan, 1990.

Lo Duca, *Anthologie de la BD érotique,* D. Leroy, 3 vol., 1982-1985.

McCloud (S.), *Understanding Comics,* Northampton, Tundra, 1993.

Marschall (R.), *America's Great Comic-Strip Artists,* NY, Abbeville Press, 1989.

Masson (P.), *Lire la bande dessinée,* Lyon, PUL, 1985.

Ory (P.), *Le petit nazi illustré,* Albatros, 1979.

Peeters (B.), *Le monde d'Hergé,* Tournai, Casterman, 2ᵉ éd., 1991 ; *Les bijoux ravis,* Bruxelles, Magic-Strip, 1984 ; *Case, planche, récit,* Casterman, 1991 ; avec Faton et Pierpont, *Story-board — le cinéma dessiné,* CNBDI/Yellow Now, 1992.

Pennacchioni (I.), *La nostalgie en images,* Libr. des Méridiens, 1982.

Pratt (H.) et Petifaux (D.), *De l'autre côté de Corto,* Casterman, 1990.

Regards sur la bande dessinée, Education 2000, n° 21, 1982.

Reynolds (R.), *Superheroes,* Londres, B. T. Batsford, 1992.

Rey (A.), *Les spectres de la bande,* Ed. de Minuit, 1978.

Roux (A.), *Comment on fait une bande dessinée.* Dossier pédagogique audiovisuel, Ofrateme, 1976.

Sadoul (N.), *Et Franquin créa la gaffe,* Distri-BD/Schlirf, 1986 ; *Entretiens avec Hergé,* éd. définitive, Casterman, 1989 ; *Entretiens avec Moebius,* Casterman, 1991.

Savage, Jr. (W. W.), *Comic Books and America 1945-1954,* University of Oklahoma Press, 1990.

Smolderen (T.) et Sterckx (P.), *Hergé,* Casterman, 1988.

Tilleul (J.-L.), Vanbraband (C.), Marlet (P.), *Lectures de la BD,* Louvain, Académia, 1991.

Tintin patrimoine des Imaginaires, Economica, 1992.

Tisseron (S.), *Tintin chez le psychanalyste,* Aubier, 1985 ; *Psychanalyse de la BD,* PUF, 1987 ; *La bande dessinée au pied du mot,* Aubier, 1990.

Varnedoe (K.), Gopnik (A.), *High and Low, Modern Art and Popular Culture,* NY, MOMA, 1990, p. 153 à 230.

Vazquez de Parga (S.), *Los comics del franquismo,* Barcelone, Planeta, 1980.

Videlier (P.), Piras (P.), *La santé dans les BD,* Frison-Roche/CNRS, 1992.

Waugh (C.), *The Comics,* University Press of Mississippi, 1947, rééd. 1991.

White (D. M.), Abel (R. H.), *The Funnies : An American Idiom,* NY, Mac Millan, 1963.
Witek (J.), *Comic Books As History,* University Press of Mississippi, 1989.

REVUES D'ÉTUDES SUR LA BD

Giff-Wiff (1962-1967, 23 numéros), *Ran-Tan-Plan* (1966-1977, 36 numéros), *Phénix* (1966-1967, 48 numéros), *Schtroumpfanzine* (2 séries, 1970-1979, 61 numéros), *Les Cahiers de la BD* (1969-1990), *Le Collectionneur de BD* (1977...).
Aux Etats-Unis : *Comics Journal* (1974...), *Amazing Heroes* (1981-1992), *Comics Interview* (1983...), *Nemo* (1983...).

TABLE DES MATIÈRES

Imprimé en France
Imprimerie des Presses Universitaires de France
73, avenue Ronsard, 41100 Vendôme
Février 1994 — Nº 40 035